Entraîne-toi avec to

Avec ce CD, tu pourras améliorer ta compréhension et to
Il contient les enregistrements des dialogues de ton man
régulièrement.

Contenu du CD de l'élève

Les dialogues de toutes les *Stationen*

Pistes			
1	**Willkommen**	p. 12	[Script p. 16]
2	**Kapitel 1** Station 1	p. 18	[Script p. 30]
3	**Kapitel 1** Station 2	p. 20	[Script p. 30]
4	**Kapitel 2** Station 1	p. 32	[Script p. 44]
5	**Kapitel 2** Station 2	p. 34	[Script p. 44]
6	**Kapitel 3** Station 1	p. 46	[Script p. 58]
7	**Kapitel 3** Station 2	p. 48	[Script p. 58]
8	**Kapitel 3** Station 3 (Dialog 1)	p. 50	[Script p. 58]
9	**Kapitel 3** Station 3 (Dialog 2)	p. 50	[Script p. 58]
10	**Kapitel 3** Station 3 (Dialog 3)	p. 50	[Script p. 58]

Pistes			
11	**Kapitel 4** Station 1	p. 60	[Script p. 72]
12	**Kapitel 4** Station 3	p. 64	[Script p. 72]
13	**Kapitel 5** Station 1	p. 74	[Script p. 86]
14	**Kapitel 5** Station 2 (Dialog 1)	p. 76	[Script p. 86]
15	**Kapitel 5** Station 2 (Dialog 2)	p. 76	[Script p. 86]
16	**Kapitel 5** Station 3	p. 78	[Script p. 86]
17	**Kapitel 6** Station 1	p. 88	[Script p. 100]
18	**Kapitel 6** Station 3	p. 92	[Script p. 100]
19	**Kapitel 7** Station 1	p. 102	[Script p. 114]
20	**Kapitel 7** Station 3	p. 106	[Script p. 114]

GUTE FAHRT!

NIVEAU A1→A2

ALLEMAND 1RE ANNÉE

Collection dirigée par
Jean-Pierre Bernardy
Inspecteur Pédagogique Régional – Académie de Créteil

Nils Haldenwang
Professeur certifié
Collège Jean de Beaumont, Villemomble (93)
Formateur associé à l'IUFM - Académie de Créteil

Florence Lozachmeur
Professeur agrégé
Collège de l'Europe, Chelles (77)

Catherine Pavan
Professeur certifié
Collège Travail-Langevin, Bagnolet (93)
Formatrice associée à l'IUFM - Académie de Créteil

Patricia Suissa-Le Scanff
Professeur agrégé
Collège Gabriel Péri, Aubervilliers (93)
Formatrice associée à l'IUFM - Académie de Créteil

Avec la participation de Delphine Courteille
et la contribution de Isabelle Hing,
Ursula Reynis et Monika Peyrot

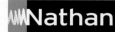

À la fin de la première année d'apprentissage, l'objectif est d'atteindre le niveau A1 et d'amorcer le niveau A2.

	ÉCOUTER	LIRE	PRENDRE PART À UNE CONVERSATION	S'EXPRIMER ORALEMENT EN CONTINU	ÉCRIRE
A1	Comprendre des mots familiers et des expressions très courantes.	Comprendre des mots familiers, ainsi que des phrases très simples, par exemple des annonces, des affiches ou des catalogues.	Communiquer, de façon simple, à condition que l'interlocuteur soit disposé à répéter ou à reformuler ses phrases plus lentement et à aider à formuler ce que l'on essaie de dire. Poser des questions simples sur des sujets familiers ou sur ce dont on a immédiatement besoin. Répondre à de telles questions.	Utiliser des expressions et des phrases simples pour décrire son lieu d'habitation et les gens que l'on connaît.	Écrire une courte carte postale simple, par exemple de vacances. Remplir un questionnaire : par exemple inscrire son nom, sa nationalité et son adresse sur une fiche d'hôtel.
A2-1	Reconnaître des énoncés simples déjà rencontrés et entendus dans des situations familières. Comprendre les nombres et les chiffres isolés ainsi que des mots simples désignant des personnages dans un récit très bref.	Comprendre à l'écrit des énoncés déjà rencontrés auparavant. Repérer les thèmes essentiels abordés dans un courrier personnel ou dans un texte traitant d'un domaine familier.	Prendre part à des conversations brèves dans des situations simples et habituelles (rencontre, achats, demande de renseignements) sans que l'interlocuteur manifeste de grandes difficultés pour comprendre.	Se présenter ainsi que sa famille et ses amis (identité, travail, loisirs, domicile...) en quelques phrases simples.	Transcrire en 2 ou 3 phrases une information simple communiquée oralement.

Édition : **La papaye verte, Petra Treuer**
Iconographie : **Nadine Gudimard**
Illustratrice : **Nadine Van der Straeten**
Conception de la maquette : **Marc & Yvette**
Mise en pages : **Anne-Danielle Naname**
Couverture : **Grégoire Bourdin**
Cartographie : **La papaye verte**

© Éditions Nathan 2009
ISBN 978.2.09.175204.4

Avant-propos

GUTE FAHRT ! *1ère année* propose un parcours conçu pour aider l'élève à s'approprier les savoirs et savoir-faire définis par **les nouveaux programmes pour le palier 1 du collège** et correspondant aux descripteurs du *Cadre européen commun de référence pour les langues* (CECRL). Les 8 unités du manuel visent à amener l'élève au niveau A1 du CECRL et à l'engager sur la voie du niveau A2, objectif à atteindre au terme des deux années d'apprentissage de la langue au collège. Ce niveau – celui de l'utilisateur élémentaire – est également le niveau exigé pour la maîtrise du *Socle commun des connaissances et des compétences*.

GUTE FAHRT ! adopte résolument la démarche actionnelle du CECRL, qui vise à développer les compétences de communication dans les différentes activités langagières – *écouter, lire, prendre part à une conversation, s'exprimer oralement en continu, écrire* – à travers la réalisation de tâches. Ces tâches sont, pour l'élève, le moyen d'appréhender des documents variés, représentatifs de la culture des pays germanophones, et de s'impliquer dans des situations, réelles ou fictives, dans lesquelles il doit agir en son nom.

La pré-unité *Willkommen* constitue en quelque sorte un prologue qui permettra un premier contact avec l'allemand pour les uns ou la réactivation d'acquis antérieurs pour d'autres et qui facilitera ainsi l'entrée dans l'apprentissage. Les sept chapitres suivants, divisés en *Stationen*, s'efforcent de mettre en œuvre les différents entraînements de façon équilibrée, en alternant les activités de rebrassage, d'anticipation, de découverte de nouveaux savoirs et savoir-faire, de manipulation et de transfert des acquis. Chaque *Station* se termine par la réalisation d'une tâche intermédiaire qui suppose le réemploi de ces acquis (*Zwischenstation*).

GUTE FAHRT ! s'attache en outre à :

• accompagner l'élève tout au long de son apprentissage, en l'aidant à bien percevoir les objectifs poursuivis (*Je vais apprendre à…*), à faire pas à pas le bilan de ses acquis (*Ich kann's*) et à s'évaluer régulièrement dans les cinq activités langagières (*Jetzt kannst du's!*).

• lui proposer des moments de récapitulation (*Sprache aktiv*) : ces bilans grammaticaux et lexicaux, volontairement très concis, constituent une base de travail pour la classe, un outil de mémorisation pour le travail individuel de l'élève, et ils trouvent un prolongement possible dans le *Cahier d'activités* et dans le *mémento grammatical* en fin de manuel.

• sensibiliser l'élève, dans chaque *Station*, aux spécificités phonologiques de l'allemand et, lorsque cela s'impose, aux rapprochements possibles avec l'anglais.

• mêler constamment la découverte culturelle et l'apprentissage linguistique, que ce soit dans les *Stationen* ou dans la double page *Endstation*, qui, en fin de chapitre, présente un aspect de la civilisation des pays de langue allemande et met l'élève en situation de réaliser un projet dans lequel il peut réinvestir tous les acquis du chapitre. Il en va de même dans les pages hors progression consacrées aux fêtes et traditions.

GUTE FAHRT ! invite ainsi à un voyage à travers la langue et la culture des pays germanophones. Nous souhaitons qu'il donne envie aux élèves de poursuivre cette découverte en allant à la rencontre de ces pays et de leurs habitants, en profitant des nombreuses possibilités qui s'offrent à eux pour le faire, qu'il s'agisse de voyages de classes, d'échanges ou de séjours individuels de moyenne ou de longue durée.

Und jetzt wünschen wir allen
GUTE FAHRT !

Les auteurs

PRÉSENTATION DU MANUEL

La structure d'une unité

OUVERTURE

- Un grand visuel pour entrer dans la thématique de l'unité
- Les objectifs d'apprentissage par activité langagière
- **Unser Projekt :** la tâche finale de l'unité

3 STATIONEN

Station 1 — Wer bist du?

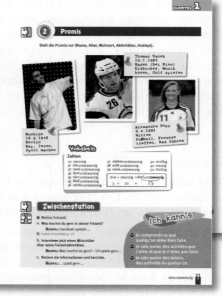

Station 2 — Was macht sie gern?

En page de droite

- Des activités pour consolider les acquis
- **Zwischenstation :** des tâches intermédiaires pour réemployer les acquis
- **Ich kann's :** un bilan des acquis de la *Station*

En page de gauche

- Un document oral ou écrit pour découvrir les nouvelles structures

Station 3 — Was könnt ihr gut?

Les logos utilisés dans le manuel

 Écouter Lire Parler en continu Parler en interaction Écrire

 Document enregistré sur...
le CD élève   le CD classe

→ Cahier d'activités p. 00
Renvoi au Cahier d'activités

Les rubriques récurrentes

 Vokabeln
Aide à l'expression

 Hier und dort
Rapprochement allemand anglais

Sprechtraining
Entraînement à la prononciation et à l'accentuation

1 double page
SPRACHE AKTIV
- Un bilan grammatical par *Station* et des exercices
- Un bilan lexical de l'unité

1 double page
ENDSTATION
- Présentation d'aspects de la civilisation des pays de langue allemande
- **Unser Projekt :**
  Tâche finale pour réutiliser tous les acquis de l'unité

1 page
SKRIPT
En fin d'unité, les scripts des dialogues du CD élève

1 double page
JETZT KANNST DU'S
Des tâches pour s'évaluer et valoriser les compétences acquises dans les cinq activités langagières

EN FIN DU MANUEL

- Des pages **FEIERTAGE UND FESTE**, *Frohe Weihnachten!*, *Karneval*, *Gänsespiel* (jeu de l'oie sur les fêtes calendaires)
- Un mémento grammatical
- Un lexique bilingue allemand-français, français- allemand

Sommaire

		Activités de communication
WILLKOMMEN p. 12		
Hallo, ich bin's!	p. 12	• Saluer • Se présenter (nom, prénom, âge, lieu d'habitation)
Und er? Und sie?	p. 14	• Se renseigner sur quelqu'un (nom, prénom, âge, lieu d'habitation) • Présenter quelqu'un (nom, prénom) • Épeler un mot
KAPITEL 1 Was machst du gern? p. 17		
Station 1 Wer bist du?	p. 18	• Se présenter • Parler des activités que l'on aime / n'aime pas faire
Station 2 Was macht sie gern?	p. 20	• Exprimer l'origine • Parler de quelqu'un (âge, lieu d'habitation, loisirs)
Station 3 Was könnt ihr gut?	p. 22	
KAPITEL 2 Meine Familie und die anderen p. 31		
Station 1 Meine Familie	p. 32	• Présenter sa famille • Inviter quelqu'un, proposer une sortie • Remercier
Station 2 Was möchtest du?	p. 34	• Accepter, refuser simplement • Faire des achats (souvenirs) • Choisir quelque chose à manger dans un menu
Station 3 Hast du Lust?	p. 36	
KAPITEL 3 Meine Freunde und ich p. 45		
Station 1 So bin ich!	p. 46	• Aimer / ne pas aimer quelque chose • Parler de son caractère • Évoquer ses souhaits, ses projets (sorties, loisirs)
Station 2 Und bei schlechtem Wetter?	p. 48	• Demander / donner un objet à quelqu'un • Proposer, offrir quelque chose à quelqu'un
Station 3 Kannst du mir helfen?	p. 50	• Justifier un choix • Parler du temps qu'il fait

Compétences grammaticales	Compétences lexicales	Compétences culturelles et tâche finale
• Les trois genres et les articles • Les articles définis et indéfinis au nominatif • Les pronoms personnels (sing.) • Les interrogatifs (*wer, wie, wo, was*) • Les verbes faibles au présent (1) • *sein* au présent (sing.) **Phonologie** • L'alphabet • [v]	• L'alphabet • Les salutations • Les présentations • *heißen, wohnen, spielen* • Les activités • Les nombres de 1 à 19	
• Les questions partielles (*W-Fragen*) • Les questions globales (*Ja/Nein-Fragen*) • Les verbes faibles au présent (2) • Les verbes forts en *a* et *e* au présent • La négation avec *nicht* • *können* (capacité) au présent • *sein* au présent (pl.) **Phonologie** • L'intonation de la phrase (interrogative, déclarative) • « h » en début de mot : [h] • Voyelles longues ou brèves	• L'identité • *gern* • Les activités et les loisirs • Les jours de la semaine • *und, aber* • Les nombres de 20 à 50	Deutschland, ein Land für jede Aktivität! Faire une carte d'Allemagne pour présenter des célébrités allemandes.
• Le génitif saxon • Les déterminants possessifs • *haben* au présent • *wollen* au présent • Le complément d'objet à l'accusatif • Les pronoms personnels à l'accusatif (sing.) • La négation avec *kein* **Phonologie** • [r] ou [ɐ] • [aɪ] et [ɔʏ] • [ɔ] ou [oː]	• La famille • Les aliments • Les achats • L'acceptation, le refus, les remerciements • Les nombres jusqu'à 99	Kennst du Mozarts Familie? Présenter une famille célèbre et faire son arbre généalogique.
• *mögen* au présent • La proposition subordonnée introduite par *weil* • *können* (possibilité) au présent • Les pronoms personnels au datif (*mir, dir, ihm, ihr*) **Phonologie** • L'inflexion des voyelles • [ç] ou [ʃ] • L'accent de mot (1)	• La description • Les qualités, les défauts • *brauchen, kennen...* • *danken, helfen, geben* + datif • La météo	Kleine, aber dynamische Städte  Présenter une ville allemande et les loisirs qu'elle propose.

Sommaire

Activités de communication

KAPITEL 4 — Mein Schultag p. 59

Station 1
Mein Tag — p. 60

Station 2
Mein Stundenplan — p. 62

Station 3
Meine Schule — p. 64

- Décrire sa journée
- Décrire son emploi du temps
- Parler de son école (lieu, matières, professeurs, fonctionnement, horaires)
- Donner une consigne ou un ordre
- Indiquer l'heure
- Indiquer les devoirs à faire

KAPITEL 5 — Wo ich wohne p. 73

Station 1
Zu Hause — p. 74

Station 2
In der Stadt — p. 76

Station 3
Shoppingtour — p. 78

- Décrire sa maison, son quartier, sa ville
- Situer dans l'espace
- Décrire un itinéraire
- Autoriser, interdire
- Parler des achats
- Donner son avis

KAPITEL 6 — Erzähl mal! p. 87

Station 1
Was ist passiert? — p. 88

Station 2
Beim Kommissar — p. 90

Station 3
Ende gut, alles gut — p. 92

- Décrire une activité, une journée (action située dans le passé)
- Décrire un personnage
- Formuler des hypothèses

KAPITEL 7 — Und am Ende ... p. 101

Station 1
Habt ihr eine bessere Idee? p. 102

Station 2
Wie war's? — p. 104

Station 3
Wohin jetzt? — p. 106

- Exprimer un choix, le justifier
- Comparer
- Parler de ses projets (organiser une fête, des vacances)
- Exprimer ses sentiments
- Exprimer un souhait, une préférence

Wechselspiele .... p. 115

Mémento grammatical .... p. 122

Lexique bilingue (allemand-français – français-allemand) .... p. 131

Compétences grammaticales	Compétences lexicales	Compétences culturelles et tâche finale
• Le verbe conjugué dans la déclarative simple • Les verbes à préverbe séparable • *müssen* (obligation) au présent • Le locatif (1) • L'impératif au singulier (1) **Phonologie** • [ʊ] ou [uː] • L'accent de mot (2) • [ç] ou [x]	• Adverbes spatiaux pour situer (*rechts, links...*) • L'école • L'heure • Les moments de la journée • Les mois • La date • Les ordinaux	**Schulen in Deutschland** Présenter mon collège à une classe partenaire.
• Le locatif (2) • L'impératif au pluriel (2) • Le directif (*zu* + datif) • *dürfen* (autorisation, interdiction) au présent • La préposition *mit* **Phonologie** • L'accentuation des mots composés • [ts] et [z] • « e » en fin de mot : [ə]	• Adverbes spatiaux pour se diriger • Prépositions spatiales (*auf, neben, unter, an*) • La maison • Le mobilier • La ville • Les magasins • Les vêtements • Les couleurs	**Ein Besuch in München** Organiser une visite de sa ville pour la classe partenaire allemande.
• Le parfait • Le prétérit de *wollen, können, sein* et *haben* • La proposition subordonnée introduite par *dass* • Formation particulière du participe II **Phonologie** • [h] ou [ʔ] • [aʊ] • [eː] ou [ɛ]	• Adverbes de temps • La description • Les verbes d'opinion	**Darüber spricht man in der Presse** Rédiger une brève.
• Le comparatif de supériorité • La comparaison avec *als* • Les conjonctions de coordination • Les compléments de temps • Le locatif, le directif **Phonologie** • [ŋ] ou [ŋk] • [b] ou [p], [d] ou [t], [g] ou [k] • [an] ou [aŋ]	• Adverbes de temps • Les repas • Les aliments • Les voyages scolaires • Les vacances	**Berlin, Berlin, wir fahren nach Berlin!** Organiser un week-end dans une ville avec sa classe.

Weihnachten .... p. 116

Karneval, Fasching oder Fastnacht? .... p. 118

Gänsespiel .... p. 120

• Construire un calendrier de l'avent.
• Fabriquer un jeu de memory.
• Jeu de l'oie.

Deutsch in der Klasse

Schulsachen

das Buch		der Radiergummi		der Klebestift	
das Heft		das Mäppchen		die Tafel	
der Kuli		das Lineal		der Tisch	
der Bleistift		die Schultasche		der Stuhl	

 1 Hör zu!

Guten Morgen! Packt bitte aus.

Schlagt das Buch Seite 12 auf.

Auf Seite 12.

Hör dir den Dialog an.

Wie bitte? Auf welcher Seite?

Guten Morgen!

 2 Lies!

Lies den Text.

3 Sprich!

4 Schreib!

Willkommen

Hallo! Ich bin's!

1 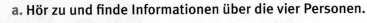 **Ich bin Lara**

Piste 1

a. Hör zu und finde Informationen über die vier Personen.

b. Was sagt Lara? Und Alexander?

BEISPIEL: Ich bin / heiße ... Ich wohne in ... Ich bin ... Jahre alt.

c. Und du? Stell dich kurz vor.

➔ Cahier d'activités p. 6

**Klasse 8b
der Albert-Einstein-
Gesamtschule**

Vokabeln

Zahlen

0	null	10	**zehn**
1	eins	11	**elf**
2	zwei	12	**zwölf**
3	drei	13	drei**zehn**
4	vier	14	vier**zehn**
5	fünf	15	fünf**zehn**
6	sechs	16	**sech**zehn
7	sieben	17	**sieb**zehn
8	acht	18	acht**zehn**
9	neun	19	neun**zehn**

Sprechtraining

■ L'alphabet
■ [v]
➔ Cahier d'activités p. 8

2 Ich wohne in...

a. Hör zu und notiere die Städte.

b. Du bist Lukas. Wo wohnst du? ...

➡ Cahier d'activités p. 7

Ich wohne in...

Lukas

Hanna

Wael

Julian

Verena

3 Chat-Profil

a. Lies den Chat.

b. Füll das Profil der zwei Jungen aus.

➡ Cahier d'activités p. 8

```
*** chat.de ***

<timax> - Hallo! Ich bin Tim. Wie heißt du?
<matboss> - Matthias. Ich wohne in
Dortmund. Und wo wohnst du?
<timax> - In Berlin.
<timax> - Wie alt bist du?
<matboss> - 15.
```

```
Cool! Ich bin auch 15 =)
```

Profil

Name: -

Wohnort: -

Alter: -

Zwischenstation

Vornamen-Hitliste

■ **Ich stelle mich vor**

Schüler A sucht sich eine neue Identität aus (Vorname, Wohnort, Alter). Schüler B macht ein Interview.

    BEISPIEL: Wie heißt du? – Ich heiße ...
                      Wo wohnst du? – Ich wohne in ...
                      Wie alt bist du? – Ich bin ... Jahre alt.

➡ Cahier d'activités p. 8

Jungen	Mädchen
Leon – Lukas – Tim – Felix – Luis – Jonas – Finn – Niklas – Simon	Leonie – Hanna – Leni – Jana – Mia – Sarah – Lilli – Johanna – Sofie

  💬 Je sais dire mon nom, où j'habite et mon âge.

  💬 Je sais demander à quelqu'un son nom, où il habite et son âge.

  💬 Je sais épeler un mot et comprendre quelqu'un qui épelle.

Und er? Und sie?

 Tanja und ihre beste Freundin

Lies den Blog und notiere Informationen (Vorname, Alter, Wohnort, Aktivitäten).

➔ Cahier d'activités p. 10

Tanjas Blog

**Mein Blog,
meine Freunde,
mein Leben …**

TAGS

➔ Familie (7)

➔ Freunde (14)

➔ Musik (26)

Hey Leute =) Ich heiße Tanja, bin 15 Jahre alt und wohne in Dortmund. Ich spiele Elektrogitarre in einer Band und schwimme.

Meine beste Freundin …
von Tanja @ Dienstag,
26. Aug. 2009 – 21:42:06

Das ist meine beste Freundin Leni. Sie ist 15 wie ich und ist mit mir in der Klasse 9b der Albert-Einstein-Gesamtschule in Dortmund. Sie spielt Handball und ist sehr sehr cool!!

Kommentar schreiben | Trackback (0) |
Permalink | empfehlen ⭐
Tags: Freunde

 Und was machst du?

Stell deine Aktivitäten vor.

BEISPIEL: Fußball spielen → Ich spiele Fußball. – schwimmen → Ich schwimme.

➔ Cahier d'activités p. 10

Vokabeln

Flöte spielen
Klavier spielen
lesen
Videospiele spielen
Handball spielen
Fußball spielen
Judo machen
skaten

Schlagzeug spielen

Musik hören

schwimmen

reiten

3 Im Jugendzentrum

Hör zu. Zu welchem Foto passt jede Szene?

Was macht Sonja (Szene A)? Und Thomas (Szene B), Daniel (Szene C) und Leo (Szene D)?

BEISPIEL: Szene A passt zu Foto ...: Sonja ...

➔ Cahier d'activités p. 10

Jugendzentrum
Dorstfeld

Nette Leute, Spaß & gute Laune!!!

Unser Angebot:
- Internetcafé
- Partys, Konzerte, Filmabende
- Sport
- Tischtennis, Billard usw.

Hauptstr. 16
44149 Dortmund-Dorstfeld

Zwischenstation

■ **Mein Blog**
Schreib jetzt deinen Blog.
Stell dich und deinen besten Freund /
deine beste Freundin vor.

Ich kann's

- ✎ Je comprends un court texte de présentation.
- ✎ Je sais présenter quelqu'un (dire son nom, son âge, où il habite).
- ✎ Je sais dire les activités que je fais ou que quelqu'un d'autre pratique.

Sprache aktiv

→ Cahier d'activités p. 12
→ Mémento grammatical p. 124, 127

1 Les genres et les déterminants

En allemand, il y a trois genres : le masculin, le féminin et le neutre.

	article défini	article indéfini
masculin	**der** Kontrabass	**ein** Kontrabass
féminin	**die** Flöte	**eine** Flöte
neutre	**das** Klavier	**ein** Klavier

2 Le présent (les 3 personnes du singulier)

spielen
ich spiel**e**
du spiel**st**
er / sie spiel**t**

sein
ich **bin**
du **bist**
er / sie **ist**

3 La place du verbe

Dans une déclarative, le verbe est en 2ᵉ position.

• groupe infinitif   in Dortmund **wohnen**
                      habiter à Dortmund

• déclarative simple   Lukas **wohnt** in Dortmund.
                       2

1 Cherche le genre des mots suivants.

a. Schule **b.** Stadt **c.** Name **d.** Interview **e.** Foto **f.** Freund **g.** Lehrerin **h.** Internetcafé **i.** Alter **j.** Wohnort

2 Dans le message de Mia, mets les verbes entre parenthèses à la forme voulue.

Hallo! Ich (heißen) Mia. Ich (wohnen) in Berlin und (sein) 15 Jahre alt. Meine beste Freundin (heißen) Leonie. Sie (sein) mit mir in der Klasse 9c der Geschwister-Scholl-Schule und (spielen) sehr gut Gitarre. Sie (machen) auch Judo.
Und du? Wie (heißen) du? Wie alt (sein) du? (spielen) du auch ein Instrument?

3 Utilise les groupes infinitifs ci-dessous pour faire parler Uwe.

Ich heiße Uwe Wagner.

Uwe Wagner heißen / 14 Jahre alt sein / in Dortmund wohnen / in der Klasse 8b sein / Judo machen / Techno hören / Gitarre spielen / schwimmen

Vokabeln Kurz und gut

Sich kennen lernen

Frage	Antwort
Wer bist du? Wie heißt du?	Ich bin / heiße Lara.
Wo wohnst du?	Ich wohne in Dortmund.
Wie alt bist du?	Ich bin 14 Jahre alt.
Was machst du?	Ich mache Judo.

 ## Skript   Willkommen   Ich bin Lara

Piste 1

Die Klasse 8b stellt sich vor.

Lara: Hallo! Ich heiße Lara. Ich bin vierzehn. Ich wohne in Dortmund. Ich bin in der Klasse 8b der Albert-Einstein-Gesamtschule. Ey, Alexander, du bist dran!

Alexander: Ich?

Lara: Ja, du.

Alexander: Guten Tag! Also, ich bin der Alexander. Ich wohne auch in Dortmund. Ich bin auch vierzehn.

Mia: Hallo, ich heiße Mia. Ich bin dreizehn.

Thea Liebermann: Herzlich willkommen in der Albert-Einstein-Gesamtschule in Dortmund! Mein Name ist Thea Liebermann. Ich bin die Klassenlehrerin der Klasse 8b.

2 Noch mehr AGs

Lies die Anzeige. Schreib dann eine Anzeige für die Rap-AG.
➜ Cahier d'activités p. 19

An alle Mädchen und Jungen!

Die Radio-AG MC2 sucht zwei
Toningenieure.
Interessiert ihr euch für Akustik und
Technik?
Könnt ihr Sounds mixen?
Seid ihr kreativ?
Dann kommt am Donnerstag in
unser Studio!
Kontakt: Vanessa Kowalski, 9b.

Vokabeln

cool
singen
texten
tanzen
Rap-AG
Rap-Fans
am Dienstag
am Mittwoch

Zwischenstation

■ **Bei einer AG mitmachen**
Deine Klasse ist in Deutschland, in der Partnerschule.
a. Was kannst du (Sport, Musik, ...)?
➜ Cahier d'activités p. 20

b. Bei welcher AG machst du mit? Fußball-AG,
Radio-AG, Rap-AG?
  BEISPIEL: Ich kann ... Ich bin ... Ich mache
  also bei der ... AG mit.

c. Jede AG-Gruppe stellt sich den deutschen
Schülern vor.
  BEISPIEL: Wir sind ... Wir können ...

Ich kann's

↻ **Je comprends et je sais dire ce que
quelqu'un est capable de faire.**
↻ **Je sais parler de plusieurs
personnes.**

Sprache aktiv

Station 1

→ Cahier d'activités p. 15
→ Mémento grammatical p. 123

1 Les questions partielles (*W-Fragen*)

Elles sont introduites par un mot interrogatif en *w-* et on y répond par une information précise.

Wer bist du? – Lea.
Wo wohnst du? – In Frankreich.
Wie alt bist du? – 14.
Was machst du gern? – Ich lese gern.
Wie heißt du? – Paul.
Woher kommt dein Vater? – Aus Marokko.

2 Les questions globales (*Ja / Nein-Fragen*)

On y répond soit par oui, soit par non. Elles commencent par le verbe conjugué.

Treibst du Sport? – Ja.
Bist du in der Fußball-AG? – Nein.

1 Complète l'interview avec les mots interrogatifs qui conviennent.

a. ... heißt du? — Tanja.
b. ... ist das? — Das ist Petra.
c. ... kommst du, Petra? — Aus Pirna.
d. Pirna? ... liegt das? — Im Osten, bei Dresden.
e. Und du Tanja, ... wohnst du und ... alt bist du?
— Ich wohne in Göttingen und ich bin 16 Jahre alt.
f. Und ... machst du, Tanja, mit Petra hier
in Salzburg?

2 Remets les éléments dans l'ordre pour formuler des énoncés interrogatifs.

a. Lieblingsfilm / was / dein / ist ?
b. wie / Klassenlehrer / heißt / der ?
c. in / du / Judo /machst / Dortmund ?
d. Freund / Berlin / in / wohnt / dein ?

Station 2

→ Cahier d'activités p. 18
→ Mémento grammatical p. 123, 128

1 Le présent des verbes dont le radical se termine par -*d*, -*t*, -*n*

reiten	zeichnen
ich reit**e**	ich zeichn**e**
du reit**est**	du zeichn**est**
er / sie reit**et**	er / sie zeichn**et**

2 Les verbes forts au présent

Au présent, la voyelle du radical des verbes forts change à la 2e et 3e personne du singulier.

schlafen	treffen	sehen
(a → ä)	(e → i)	(e → ie)
ich schlaf**e**	ich treff**e**	ich seh**e**
du schl**ä**f**st**	du tr**i**ff**st**	du s**ie**h**st**
er/sie schl**ä**f**t**	er/sie tr**i**ff**t**	er/sie s**ie**h**t**

3 La négation du groupe verbal

Nicht se place devant ce que l'on souhaite nier.

gern Fußball spielen / **nicht** gern Fußball spielen
→ Sven spielt **nicht** gern Fußball.

3 Conjugue les verbes entre parenthèses.

a. ... du okay? (sein)
b. Der Journalist ... die Gruppe aus Weimar. (treffen)
c. Du ... einen Artikel über die Theater-AG. (schreiben)
d. ... er lange am Sonntag? (schlafen)
e. Ich ... gern Mangas. (lesen)
f. ... du auch gern? (reiten)
g. ... sie auch gern Mangas? (zeichnen)

4 Nils n'est pas contrariant : il dit toujours oui. Max a mauvais caractère et il répond toujours non. Formule leurs réponses aux questions suivantes.

Bist du in der Klasse 8b?
Nils: Ja klar, ich bin in der Klasse 8b.
Max: Aber nein! Ich bin nicht in der Klasse 8b.

a. Wohnst du in Dortmund?
b. Bist du in der Fußball-AG?
c. Reitest du gern?
d. Gehst du schwimmen?
e. Siehst du gern fern?

Station 3

→ Cahier d'activités p. 21
→ Mémento grammatical p. 127, 128

1 Le présent de l'indicatif (au pluriel)

spielen	lesen	sein
wir spiel**en**	wir les**en**	wir **sind**
ihr spiel**t**	ihr les**t**	ihr **seid**
sie spiel**en**	sie les**en**	sie **sind**

2 Le verbe de modalité *können* (être capable de)

ich **kann**Ø	wir könn**en**
du **kannst**	ihr könn**t**
er / sie **kann**Ø	sie könn**en**

5 Réécris les phrases en remplaçant le sujet en gras par l'élément entre parenthèses.

Leo schreibt die Texte. (Leo und Sven)
→ Leo und Sven schreiben die Texte.

a. **Hannah** macht die Musik. (Hannah und Tanja)
b. Kannst **du** gut zeichnen? (ihr)
c. **Ina** liest gern Fantasy-Romane. (wir)
d. Bist **du** in der Klasse 8a? (ihr)
e. Fährst **du** in den Park? (ihr)

6 Complète par le verbe *können* à la forme voulue.

a. Laura, ... du reiten? – Nein, aber ich ... Fußball spielen.
b. Verena, Laura, ... ihr gut tanzen? – Ja, und wir ... auch singen.
c. Sonja und Vanessa ... sehr gut Französisch sprechen.
d. Max ist Toningenieur. Er ... Sounds mixen.

Vokabeln Kurz und gut

1 Kontakte

Frage		Antwort
Wer bist du?	→	Ich bin Johannes.
Wie heißt du?	→	Ich heiße Johannes.
Wo wohnst du?	→	Ich wohne in Berlin.
Woher kommst du?	→	Ich komme aus Deutschland.
Was machst du gern in der Freizeit?	→	Ich lese gern Mangas.
Was kannst du gut?	→	Ich kann gut schwimmen.

2 Freizeit

Sport

Handball / Tennis / Tischtennis / Fußball / Volleyball spielen
Judo machen
schwimmen
reiten
skaten
tanzen
rennen

Zu Hause

am Computer spielen
chatten
*fern*sehen (er sieht ... *fern*)
Mangas / Romane lesen (er liest ...)
Musik hören
schlafen (er schläft)
singen
zeichnen

Die Woche

Montag
Dienstag
Mittwoch
Donnerstag
Freitag
Samstag
Sonntag

Endstation

Deutschland – ein Land für jede Aktivität!

Classe

Deutschland ist ein vielseitiges Land für viele Aktivitäten. Das Meer im Norden, die Berge im Süden und im Osten. Aber auch dynamische Städte wie Berlin, Hamburg ...

Ostsee

Sankt Peter-Ording

Nordsee

Hamburg

Bremen

Elbe

Weser

BERLIN

Rhein

Harz

Leipzig

Dresden

Rathen

Sächsische Schweiz

Köln

Frankfurt

Nürnberg

Böhmerwald

Stuttgart

Donau

Schwarzwald

Schwäbische Alb

München

Alpen

Füssen

100 km

Hallo! Mein Name ist Xenia. Ich bin 15. Ich wohne in Rathen, in Ostdeutschland. Ich bin sportlich und dynamisch. Ich klettere gern. In der Sächsischen Schweiz ist es toll! Ich singe und tanze auch gern.

Das ist Tillmann. Er ist 14 Jahre alt. Er wohnt in Füssen. Das ist in Süddeutschland, in den Alpen. Er kann sehr gut Ski fahren. Er fährt auch gern Snowboard und er liest gern.

Hi! Ich bin die Jana und wohne in Berlin. In der Freizeit bin ich sehr aktiv. Ich treffe mich mit meinen Freunden. Sie sind alle Inline-Skater. Wir können sehr gut skaten.

Ich heiße Maik, bin 16 Jahre alt und komme aus Norddeutschland, aus St. Peter-Ording. Mein Lieblingssport ist Kitesurfen.

Alles klar?

1. Woher kommt Maik? Und Jana?
2. Was machen die vier Jugendlichen in ihrer Freizeit?
3. Stell Xenia vor (Alter, Wohnort).

Unser Projekt

Prominente Deutsche – eine Karte

1. Bildet Gruppen und wählt einen Promi (Fabian Hambüchen, Birgit Prinz, Daniel Brühl, Bintia).

2. Sammelt Informationen (Wohnort, Alter, Freizeitaktivitäten) und schreibt einen Text.

3. Sucht im Internet ein Foto des Promis und eines von der Stadt, wo er wohnt.

4. Macht eine Collage aus dem Text und den 2 Fotos.

5. Zeichnet eine große Deutschlandkarte und klebt eure Collagen auf die Karte.

WEBSITES FÜR INFOS

http://www.fabianhambuechen.de
http://www.dfb.de
http://www.spielfilm.de
http://www.danielbruhl.com

Jetzt kannst du's!

→ Cahier d'activités p. 23

1 Wer sind sie?

Objectif : Comprendre quelqu'un qui se présente.
Outil : Le lexique de l'identité.

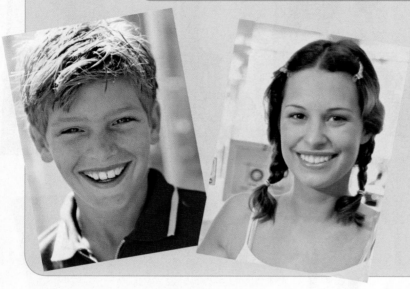

**Ces deux adolescents se présentent.
Écoute-les et indique :**

1. le nom. 20%
2. l'âge. 20%
3. les loisirs. 40%
4. le pays d'origine. 20%

Mon score

20%   40%   60%   80%   100%

→ Cahier d'activités p. 23

2 Das bin ich!

Objectifs : Saluer, indiquer son nom, son âge, ses loisirs, l'endroit où l'on habite.
Outils : Les salutations, le lexique de l'identité.

**Tu es nouvel élève dans une classe alle-
mande. À la demande de ton professeur,
tu vas te présenter à la classe.**

1. Tu salues tes camarades
de classe. 20%
2. Tu dis comment tu t'appelles. ... 20%
3. Tu donnes ton âge. 20%
4. Tu dis où tu habites, d'où tu viens. 20%
5. Tu parles de tes loisirs
et de ce que tu sais faire. 20%

Mon score

20%   40%   60%   80%   100%

→ Cahier d'activités p. 24

3

Brieffreund gesucht

OBJECTIFS : Poser des questions et comprendre des informations sur l'identité de quelqu'un.

OUTILS : Les mots interrogatifs, le lexique de l'identité.

1 Jörg
14
Berlin
Hobbys: Judo, lesen

2 Stefan
13
Dresden
Hobbys: schwimmen, zeichnen

3 Leonie
12
Hamburg
Hobbys: reiten, Freunde treffen

4 Annalena
15
Dortmund
Hobbys: tanzen, Klavier spielen

L'élève A choisit un correspondant parmi les 4 jeunes qui se présentent. L'élève B pose des questions à l'élève A sur son identité.

1. Comment s'appelle-t-il / elle ? 20%
2. Quel âge a-t-il / elle ? 20%
3. De quelle ville vient-il / elle ? 20%
4. Quels sont ses loisirs ? 40%

MON SCORE

20%   40%   60%   80%   100%

→ Cahier d'activités p. 24

4

Hallo, ich bin Hanna!

OBJECTIFS : Comprendre quelqu'un qui se présente et remplir une fiche d'identité.
OUTIL : Le lexique de l'identité.

Hallo Laura!

Ich heiße Hanna Herrmann. Ich bin 16 Jahre alt und ich wohne in Ostdeutschland, in Leipzig. Ich lese gern Fantasy-Romane und ich schwimme gern. Meine Lieblings- musik ist Rockmusik, ich spiele Gitarre in einer Band. Ich kann auch reiten. Meine Msn-Adresse ist hanna16@msn.com.

Schreib mir bald!

Deine Hanna

Lis le message et écris la fiche d'identité de son auteur avec :

1. son nom et son prénom. 20%
2. la ville où il habite. 20%
3. son âge. 20%
4. ses loisirs. 20%
5. sa musique préférée. 20%

MON SCORE

20%   40%   60%   80%   100%

Skript

Station 1 — Wie heißt du?

Élève Piste 2

Lucie: On pose quoi comme question pour faire connaissance ?

Quentin: J'sais pas moi : comment tu t'appelles… Wie heißt du?

Martin: Wie heißt du?

Quentin: Bon, je me lance. – Guten Tag! Ich bin Quentin. Wie heißt du?

Alexander: Alexander.

Martin: Wo wohnst du, Alexander?

Alexander: In Dortmund.

Lucie: Eh, t'as vu ? C'est cool, il fait tout !

Quentin: Chut. Écoute.

Martin: Und du, wie heißt du?

Carlotta: Ich heiße Carlotta.

Martin: Wohnst du auch in Dortmund?

Carlotta: Nein, ich wohne in Kamen.

Quentin: Hallo! Wie ist dein Name?

Dashamira: Dashamira.

Quentin: Wie bitte?

Dashamira: Dashamira.

Quentin: Woher kommst du?

Dashamira: Ich bin aus Albanien.

Martin: Treibst du Sport?

Dashamira: Ja, ich bin in der Fußball-AG, hier in der Schule.

Quentin: Fußball quoi ?

Lucie: AG, Fußball-AG elle a dit.

Quentin: Wer ist das?

Martin: Das ist die Klassenlehrerin, Frau Liebermann.

Quentin: Was machst du jetzt, Alexander?

Alexander: Ich gehe schwimmen.

Station 2 — Eine Radiosendung

Élève Piste 3

Vanessa: Hallo! Hier ist Radio MC2. Am Mikrofon: Vanessa. Willkommen im Studio! Das Thema heute: „Freizeit". Wir haben drei Gäste: Lukas, Klasse 9c, Laura, Klasse 8a und Sven, Klasse 10b. – Lukas, was machst du in deiner Freizeit?

Lukas: Ja, also, ich mache viel Sport. Ich spiele Tischtennis, ich skate und ich lerne reiten. Und ich lese auch.

Vanessa: Was liest du?

Lukas: Fantasy-Romane.

Laura: Ja, ich auch!

Vanessa: Wie bitte?

Laura: Ich lese auch gern Fantasy-Romane: *Harry Potter*, *Eragon* …

Vanessa: Und was machst du noch in deiner Freizeit? Am Computer spielen?

Laura: Nein, am Computer spiele ich nicht so gern. Aber Fußball. Das ist mein Lieblingssport. Ich bin in der Mädchen-Fußball-AG hier in der Schule.

Vanessa: Und du, Sven, was machst du gern?

Sven: Also, Freunde treffen …

Vanessa: Fußball? Fernsehen?

Sven: Hmm, Fußball ist nicht mein Ding. Aber ich sehe gern fern. Und ich chatte gern. Außerdem zeichne ich Mangas, und ich mache Videos.

Vanessa: Wow! Und wann schläfst du?

Sven: Tja!

Meine Familie und die anderen

Je vais apprendre à...

Écouter

Comprendre quelqu'un qui présente sa famille.
Comprendre les formules et les expressions courantes relatives à des achats.

Lire

Comprendre un message simple qui m'est adressé : une invitation.

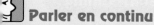

Parler en continu

Présenter simplement ma famille à quelqu'un.
Exprimer un souhait, une volonté.

Parler avec quelqu'un

- Demander et dire qui sont les membres d'une famille.
- Faire une proposition.
- Accepter ou refuser une proposition.

Écrire

- Répondre à une invitation.

Unser Projekt

> Présenter une famille célèbre et faire son arbre généalogique.

Station 1

Meine Familie

1 Besuch aus Frankreich

a. Schau dir die Fotos an und formuliere Hypothesen.

> **BEISPIEL:** Wer ist das? – Das ist vielleicht Janas Vater.

b. Hör zu und notiere Informationen über Janas Familie: Vorname, Alter, Beruf.

c. Bildet zwei Gruppen. Stellt euch Fragen über Janas Familie.

> **BEISPIEL:** **Gruppe A:** Wie heißt Janas Bruder?
>
> **Gruppe B:** Er heißt …

→ Cahier d'activités p. 25

Vokabeln

Familienstammbaum

die Großeltern

der Großvater die Großmutter

die Eltern

der Vater die Mutter der Onkel die Tante

die Kinder

der Sohn die Tochter der Cousin die Cousine

der Bruder ⟷ die Schwester

Sprechtraining

■ [r] ou [ɐ]
→ Cahier d'activités p. 26

2 Glückwunsch!

a. Lies die Anzeigen und ergänze den Stammbaum der zwei Familien.

b. Stell die Familie von Fabian Meyer und die Familie von Lea Krupp vor.

> **BEISPIEL:** Fabians Vater heißt ... Seine Mutter heißt ...
> Leas Bruder heißt ... Ihr Großvater ...

➡ Cahier d'activités p. 26

A

GLÜCKWÜNSCHE UND PERSÖNLICHES

Familie Meyer

Meine Oma wird heute 70.

Claudia Meyer

Bleib' fit und gesund,
dann läuft alles
wieder rund.

Alles Gute zum
Geburtstag wünscht Dir

Dein Enkel Fabian

B

**Liebe Mutti,
liebe Katja,**

du bist die Beste!
Alles Liebe zum Muttertag!
Deine Kinder Leni
und Fabian und dein
Mann Lars

C

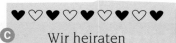

Wir heiraten
**Claudia Meyer geb. Klein
Bernd Meyer**

Kirchliche Trauung am
Samstag, dem 11. Mai 1954,
um 13 Uhr in der Pfarrkirche
in Ludwigshafen

D

Familie Krupp
Lea hat ein Brüderchen
**Sebastian
22.12.2007**
54cm – 3.440g
Die glücklichen Eltern:
Ute und Jens Krupp
Bonn, Beethovenstraße 31

E

Mädchen
mit Schultüte

Hallo Lea!
Alles Gute zum
ersten Schultag
wünschen Dir
Oma Maria und
Opa Jürgen.

Vokabeln

Opa = der Großvater
Oma = die Großmutter
der Enkel   *le petit-fils*
die Enkelin   *la petite-fille*
der (Ehe)mann   *le mari*
die (Ehe)frau   *la femme*

Zwischenstation

■ **Seine Familie vorstellen**

a. Zeichne deinen Stammbaum
(real oder fiktiv!).

b. Schüler A stellt seine Familie vor.
Schüler B stellt Fragen.
Spielt den Dialog zu zweit.

➡ Cahier d'activités p. 26

Ich kann's

❂ Je comprends quelqu'un qui présente
sa famille.

❂ Je sais demander et dire qui sont
les membres d'une famille.

❂ Je peux présenter simplement
ma famille à quelqu'un.

Station 2

Was möchtest du?

1 Megaspaß im Freizeitpark

a. Lies den Prospekt.
Wann ist der Park geöffnet?

b. Was kostet der Eintritt
für die Familie Bansemer
und Janas Partnerin?

➜ Cahier d'activités p. 28

Europa-Park Rust

Öffnungszeiten
Der Park ist täglich von 9.00 Uhr
bis 18.00 Uhr geöffnet.

Der Europa-Park bietet Ihnen
Spaß und Action mit seinen
Shows und Attraktionen.

Preise
Kinder bis 3 Jahre: frei
Kinder (4-11 Jahre): 28,00 EUR
Erwachsene: 31,50 EUR

2 Am Imbissstand

a. Hör dir den Dialog an. Was möchten Jana, Julie und die Eltern essen und trinken?

b. Was kostet das?

➜ Cahier d'activités p. 28

Élève
Piste 5

FISCHFILET 6,50 — BRATWURST 2,20 — SCHASCHLIK 6,80 — PORTION POMMES 1,20 — KARTOFFELSALAT 2,50
APFELSAFT 1,50 — MINERALWASSER 1,20 — EISTEE 1,50

Hier und dort

Apfel	apple
Fisch	fish
Eis	ice
Glas	glass
Wasser	water

Sprechtraining

■ Les diphtongues [aɪ]
et [ɔɪ]

➜ Cahier d'activités p. 29

Classe

3 Im Souvenirgeschäft

Julie möchte Souvenirs für ihre Familie kaufen. Sie hat 50 Euro.
Was kauft sie vielleicht? Für wen?

BEISPIEL: Sie kauft vielleicht ein / eine / einen ... für ihren Großvater.

➜ Cahier d'activités p. 29

der Schlüsselanhänger — 3,90 €

die Schneekugel — 12,90 €

der Kalender — 11,90 €

der Bierkrug — 27 €

das T-Shirt — 14,90 €

das Plüschtier — 12,50 €

Zwischenstation

Speisekarte

SPEISEN	
• Currywurst	2,20 €
• Frikadelle	1,70 €
• Hamburger	1,50 €
• Fischburger	2,20 €
• Portion Pommes	1,20 €
mit Mayo / Ketchup	0,30 €
• Nudelsalat	1,80 €
• Stück Apfelkuchen	2,80 €

GETRÄNKE	
• Glas Cola 0,2 l	0,70 €
• Glas Limo 0,2 l	0,70 €
• Flasche Mineralwasser 0,7 l	2,00 €

■ **Am Imbiss bestellen**

Schau dir die Speisekarte an. Schüler A
bestellt etwas zu essen und trinken.
Schüler B ist der Verkäufer. Spielt den
Dialog zu zweit.

➜ Cahier d'activités p. 29

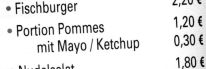

- der
- die
- das

Ich kann's

- ❧ Je comprends des informations simples dans un texte informatif.
- ❧ Je comprends et sais indiquer un prix.
- ❧ Je peux exprimer un souhait ou une volonté.
- ❧ Je sais remercier.

Station 3

Hast du Lust?

1 Wer will mich begleiten?

a. Lies den Chat. Was möchte Melanie?

b. Wer will sie begleiten? Wer nicht? Warum?

Beispiel: ... will / kann sie (nicht) begleiten. Er / sie ...

➔ Cahier d'activités p. 31

*** chat.de ***

<Melanie> Gratis Open-Air-Konzert in Köln am Sonntag. Rock und Rap. Wer kommt mit?

<Tobias> Das geht nicht. Ich habe kein Geld für das Bahnticket.

<Eva> Rock, ok, aber Rap find' ich doof. Keine Lust, ohne mich!

<Martin> Warum nicht? Ich finde es cool. Sehe ich dich am Bahnhof?

<Melanie> Prima! Ja, am Bahnhof um 19.30 Uhr.

<Tina> Einverstanden. Hoffentlich singt Bushido. Ich finde ihn so süß! ☺

<Melanie> Toll! Also bis Sonntag. Und du Katrin? Möchtest du auch kommen?

<Katrin> Tut mir leid, aber meine Eltern sind nicht einverstanden. ☹

<Melanie> Schade.

Profil

Vokabeln

ein Konzert besuchen
*mit*kommen = jemanden begleiten
gut finden ≠ doof finden

Sprechtraining

■ [ɔ] ou [oː]

➔ Cahier d'activités p. 32

2 Lust auf Pizza?

a. Hanna und Bastian haben Lust auf Pizza. Niklas, Tom und Alex sagen nein. Warum?

b. Und du? Kommst du mit?

Vokabeln

das Geld	die Lust
der Hunger	die Zeit

3 Zoobesuch

Familie Schmidt ist im Zoo. Hör dir die Dialoge an. Welche Tiere sehen sie? Wie finden sie die Tiere?

BEISPIEL: Sie sehen … Die Mutter / der Vater / die Tochter findet sie / es / ihn …

➔ Cahier d'activités p. 32

Vokabeln

das Elefantenbaby	gefährlich	*dangereux*
die Giraffe	klein	*petit*
die Gorillas	lustig	*drôle*
der Panda	schön	*beau*
der Tiger	süß	*mignon*

Zoo Wuppertal 125 Jahre jung

Zwischenstation

■ Etwas unternehmen

Du und dein Freund / deine Freundin habt Zeit. Ihr möchtet etwas unternehmen (Sport machen, ins Kino gehen …). Spielt den Dialog.

BEISPIEL: Möchtest du …?
– Ja, gern … / Nein, …

Ich kann's

❥ Je comprends comment quelqu'un réagit à une proposition.

❥ Je sais proposer une activité à quelqu'un.

❥ Je sais accepter, refuser une proposition.

Sprache aktiv

Station 1

→ Cahier d'activités p. 27
→ Mémento grammatical p. 125

1 Le génitif saxon

Le génitif saxon sert à exprimer l'appartenance.

• Le nom propre prend un « s » à la fin.
Vanessas Bruder heißt Leo.

• Lorsque le nom propre se termine par « s », « ß » ou « x », on ajoute une apostrophe.
Lukas' Schwester.

2 Les déterminants possessifs

Le déterminant possessif prend les mêmes marques (genre et nombre) que l'article indéfini.

Possesseur singulier		Déterminant possessif
1re personne **ich**		**mein** Bruder
2e personne **du**		**dein** Bruder
3e personne	masculin / neutre **er / es**	**sein** Bruder
	féminin **sie**	**ihr** Bruder

1 Réécris les phrases suivantes en utilisant le génitif saxon.

a. Die Mutter von Felix ist cool.
b. Was macht der Freund von Lisa?
c. Der Lieblingssport von Sebastian ist Fußball.
d. Die Fotos von Niklas finde ich super.
e. Hast du die E-Mail-Adresse von Frau Müller?

2 Remplace par le déterminant possessif qui convient pour éviter la répétition.

a. Michaels Schwester heißt Lea, <u>Michaels</u> Bruder heißt Tim.
b. Marias Tochter wohnt in Kiel, aber wo wohnt <u>Marias</u> Sohn?
c. Arno spielt gern Basketball, und <u>Arnos</u> Lieblingsmusik ist Hip-Hop.
d. Ich habe Vanessas Adresse, aber hast du <u>Vanessas</u> Telefonnummer?
e. Tobias geht am Samstag ins Kino. <u>Tobias'</u> Freund Marco kommt mit.

Station 2

→ Cahier d'activités p. 30
→ Mémento grammatical p. 126, 127, 128

1 Haben et le verbe de modalité wollen

ich hab**e**	wir hab**en**
du **hast**	ihr hab**t**
er / sie / es **hat**	sie hab**en**

• *Wollen* sert à exprimer une volonté.

ich **will**Ø	wir woll**en**
du **willst**	ihr woll**t**
er / sie / es **will**Ø	sie woll**en**

• On peut aussi exprimer le souhait avec *ich möchte* (= j'aimerais).

2 Le complément d'objet à l'accusatif

Le complément d'objet direct est à l'accusatif. Seul le déterminant masculin change et prend la marque -**n**.
Ich kaufe eine**n** / de**n** Hamburger.

Certaines prépositions sont également suivies de l'accusatif. C'est le cas de *für* (pour).
Der Bierkrug ist für meine**n** Großvater.

3 Conjugue le verbe entre parenthèses.

Leo (haben) Hunger und (wollen) Pause machen.
Leo: (haben) ihr keinen Hunger? (wollen) ihr vielleicht ein Eis essen?
Julie: Ach, ich (wollen) jetzt nichts essen. Aber ich (haben) Durst! Und du Jana? (wollen) du auch was trinken? (haben) du Lust auf eine Cola?
Jana: Ja, gern. (wollen) wir ins Eiscafé am Marktplatz gehen?

4 Complète par la marque qui convient (vérifie le genre des mots).

a. Hast du ein... E-Mail-Adresse?
b. Vanessa hat ein... Karte für d... Konzert von Juli.
c. Hast du ein... Bruder? Ein... Schwester?
d. Herr und Frau Müller haben ein... Kind.
e. Was möchtest du? Ein... Kartoffelsalat oder ein... Portion Pommes?

Station 3

→ Cahier d'activités p. 33
→ Mémento grammatical p. 125, 126

1 Les pronoms personnels à l'accusatif (singulier)

1re personne : **mich**
Willst du **mich** ins Konzert begleiten?

2e personne : **dich**
Julie, Oma möchte **dich** fotografieren.

À la 3e personne, le pronom porte la même marque que l'article défini (-n, -e ou -s).

masculin : Isabel kauft de**n** Bierkrug.
→ Isabel kauft **ihn**.

féminin : Martin nimmt di**e** Gitarre mit.
→ Martin nimmt **sie** mit.

neutre : Isabel nimmt da**s** T-Shirt nicht.
→ Isabel nimmt **es** nicht.

2 La forme négative du groupe nominal indéfini

Pour mettre un groupe nominal indéfini à la forme négative, on utilise *kein*.
Ich esse einen Hamburger.
→ Ich esse **keinen** Hamburger.

5 Complète par le pronom personnel qui convient.

Hanna: Meine Schwester und ihr Freund fahren am Samstag nach Köln. Sie nehmen … mit, und dann gehe ich ins Open-Air-Konzert. Hast du auch Lust?
Vanessa: O ja! Ich begleite … gern. Und mein Bruder ? Nehmen wir … mit?
Hanna: Tja, vielleicht haben wir noch Platz in Stefanies Auto. Ich frage …

6 La petite Marie pose toutes sortes de questions à Vanessa. Transforme les phrases selon le modèle.

Ist das eine Trompete? (Saxofon) → Aber nein, das ist keine Trompete. Das ist doch ein Saxofon!

a. Möchtest du einen Kaffee? (Limo)
b. Hat Julie einen Bruder? (Schwester)
c. Essen wir ein Eis? (Pommes)
d. Ist das Apfelsaft? (Orangensaft)
e. Sind das CDs? (Videospiele)

Vokabeln Kurz und gut

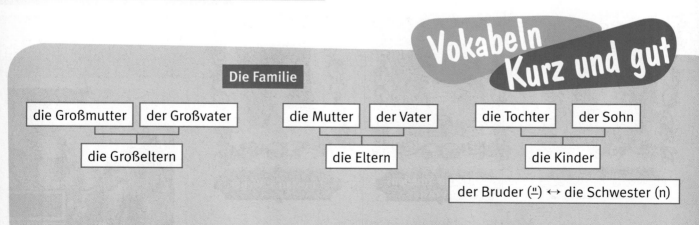

Die Familie

die Großmutter — der Großvater
die Großeltern

die Mutter — der Vater
die Eltern

die Tochter — der Sohn
die Kinder

der Bruder (¨) ↔ die Schwester (n)

Zum Essen
die Currywurst | die Bratwurst
der Hamburger | der Fisch | die Pommes (pl.)
der Salat: der Kartoffelsalat, der Nudelsalat
das Eis | der Apfelkuchen

Zum Trinken
der Apfelsaft
die Limo | die Cola
das Mineralwasser
der Tee | der Kaffee

Endstation

Kennst du Mozarts Familie?

Gerald und Theo schauen sich eine Website über Mozart und seine Familie an. Hör dir den Dialog an.

Das ist das Wunderkind Wolfgang Amadeus Mozart. Du siehst auch seinen Vater Leopold mit der Violine und seine Schwester Nannerl.

Leopold Mozart

Anna Maria Mozart

Maria Anna „Nannerl" Mozart

Wolfgang Amadeus Mozart

Constanze Weber

Karl-Thomas Mozart

Franz-Xaver Mozart

Familie Mozart musiziert

Mal sehen, ob wir ein Konzert oder eine Oper finden ...
Da! Die Zauberflöte, in zwei Wochen, an einem Sonntag.
Die Karte kostet 29 Euro pro Person.

http://www.kartenvorverkauf.com

KARTENVORVERKAUF

Konzerte | Klassik | Rock | Musical | Schlager | Volksmusik

Suche: **Oper Mozart**   Start

Suchergebnis:

Die Zauberflöte

Was?
Oper von Wolfgang Amadeus Mozart

Wann?
Sonntag, den 8. Februar, 15:30

Wo?
Bremer Theater – Theater am Goetheplatz 1-3

Platz für eine Person: **29 Euro**   Reservieren

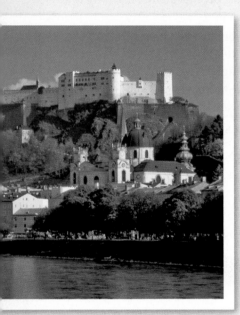

Die Stadt Salzburg in Österreich

Alles klar?

1. Wer sind Anna Maria, Constanze, Karl-Thomas und Franz-Xaver Mozart?
2. Wie heißt Mozarts Vater? Und Mozarts Schwester?
3. Was möchte Theo?
4. Was kostet eine Karte für die Oper?

Unser Projekt

Eine berühmte Familie vorstellen

1. Sammle Informationen über eine berühmte Persönlichkeit und ihre Familie (zum Beispiel über Johann Sebastian Bach oder die Kaiserin Elisabeth „Sissi").

2. Stell diese berühmte Familie vor und zeichne ihren Stammbaum.

3. Du möchtest noch mehr über die Person wissen. Mache Vorschläge (ein Konzert besuchen, ...).

WEBSITES FÜR INFOS
http://www.bach.de
http://www.sissi.de

Jetzt kannst du's!

→ Cahier d'activités p. 35

1

Eine Familie stellt sich vor

OBJECTIF : Comprendre quelqu'un qui présente une famille.
OUTILS : Le lexique de l'identité, le lexique de la famille.

**Écoute la présentation de cette famille.
Es-tu capable de repérer :**

1. la ville où elle habite ?............... 20%

2. son nom ? 20%

3. le prénom des parents
et des enfants ?........................ 20%

4. leur âge ?............................. 20%

5. la profession des parents ?........ 20%

MON SCORE

20%   40%   60%   80% 100%

→ Cahier d'activités p. 35

2

Das ist Familie Kübler

OBJECTIF : Présenter simplement une famille.
OUTILS : Le lexique de l'identité, le lexique de la famille.

Familie Kübler

Köln

Eltern:
  Katja (38) → Architektin
  Lars (37) → Sportreporter

2 Kinder:
  Fabian (14) → Handball
  Laura (11) → schwimmen

**Lis les notes sur la famille Kübler.
Es-tu capable d'indiquer :**

1. la ville où elle habite ?............. 20%

2. le prénom des parents
et des enfants ?........................ 20%

3. leur âge ?............................. 20%

4. la profession des parents ?........ 20%

5. les loisirs des enfants ?............ 20%

MON SCORE

20%   40%   60%   80% 100%

→ Cahier d'activités p. 36

3 Tolle Idee?

OBJECTIFS : Comprendre une proposition, savoir si elle est acceptée ou refusée.
OUTILS : L'accusatif, le lexique des loisirs.

1
Britta: Kommst du heute Abend mit ins Kino? Es läuft der neueste Film mit Brad Pitt.
Corinna: Brad Pitt find' ich doof.

2
Britta: Gehen wir am Samstag um 15.30 Uhr schwimmen?
Corinna: Keine Zeit. Ich habe Klavierstunde.

3
Britta: Wir sind gerade am Computer. Hast du Lust mitzuspielen?
Corinna: Warum nicht? Was macht ihr?
Britta: Memory-Spiele.
Corinna: Gut, ich komme gleich.

4
Britta: Willst du mit mir shoppen gehen?
Corinna: Danke, ich habe kein Geld.

Lis les échanges entre Britta et Corinna. Es-tu capable d'indiquer :

1. les propositions qui sont faites à Corinna ? 40%

2. dans quel chat Corinna accepte ? 30%

3. dans quel chat Corinna refuse ? 30%

MON SCORE
☹ 20% ☹ 40% 😐 60% 🙂 80% 😊 100%

→ Cahier d'activités p. 36

4 Eine Einladung

OBJECTIFS : Répondre à une invitation, accepter ou refuser une proposition.
OUTILS : La forme négative du groupe nominal indéfini, le remerciement.

Am 3. Mai lade ich dich zu meiner Party ein. Willst du kommen? Sven

SMS

Sven t'invite à une fête. Lis son invitation et réponds-lui par mail. Es-tu capable de :

1. le remercier ? 20%

2. lui exprimer ton enthousiasme ? . 20%

3. lui dire que tu aimerais venir ? 20%

4. lui dire que ce n'est pas possible et pourquoi ? 40%

MON SCORE
 20% 40% 60% 80% 100%

Skript

Station 1 — Besuch aus Frankreich

Piste 4

Julie: Wow, Jana, dein Zimmer ist genial!

Jana: Findest du?

Julie: Ja. Und die vielen Fotos! Die sind super. Ist das dein Bruder hier?

Jana: Ja, das ist Leo in Hawaii.

Julie: Wie alt ist er denn?

Jana: Achtzehn.

Julie: Du hast aber auch eine Schwester, stimmt das?

Jana: Ja. Ich habe eine große Schwester, Katharina. Sie ist 27 Jahre alt. Schau mal! Da ist sie mit meinen Eltern in Hamburg.

Julie: Und was macht sie?

Jana: Sie ist Ingenieurin bei Airbus.

Julie: Hm hm, und wer ist das hier?

Jana: Meine Tante Valentina und mein Onkel Bruno. Er ist Pilot. Sie haben zwei Kinder. Hier siehst du meine kleine Kusine Marie. Ist sie nicht süß?

Julie: Ach, und deine Großeltern sehen noch ganz fit aus.

Jana: Ja, Oma Irene ist 72 Jahre alt und mein Opa Richard 75, aber sie machen noch viel Sport!

Mutter: Hallo! Ich bin Janas Mutter.

Julie: Guten Tag, Frau Bansemer.

Mutter: Ach was, ich heiße Karola, und mein Mann heißt Peter.

Station 2 — Am Imbissstand

Piste 5

Vater: Kinder, es ist zwei Uhr. Wollen wir nicht etwas essen? Ich habe Hunger.

Jana: Wir auch, stimmt's, Julie?

Julie: Ja.

Vater: Und du, Karola?

Mutter: Nein, ich habe keinen Hunger, aber ich habe Durst. Ich trinke einen Eistee.

Vater: Also Julie, was möchtest du?

Julie: Ich möchte … eine Portion Pommes mit Mayonnaise.

Vater: Ist das alles? Möchtest du vielleicht ein Fischfilet dazu?

Julie: Okay, ich nehme ein Fischfilet.

Vater: Und was willst du trinken?

Julie: Einen Apfelsaft, bitte.

Jana: Für mich bitte auch. Und ein Schaschlik.

Verkäuferin: Guten Tag! Sie wünschen?

Vater: Ein Fischfilet und eine Portion Pommes …

Verkäuferin: Mit Ketchup oder mit Mayo?

Vater: Mit Mayo, bitte. Dann ein Schaschlik und eine Bratwurst mit Kartoffelsalat. Zweimal Apfelsaft und ein Mineralwasser.

Verkäuferin: Mit Kohlensäure?

Vater: Nein, ohne.

Verkäuferin: Das macht 23 Euro 40.

Mutter: Und mein Eistee, Peter?

Vater: Entschuldigung, Karola!

Verkäuferin: Plus 1 Euro 50. Das macht 24 Euro 90.

Vater: Hier bitte!

Magst du Natur? Du kannst am Neckar entlang spazieren gehen. Dort ist es wirklich schön.

Magst du Wasser?
Willst du keinen Stress haben?
Dann mach doch
eine Stocherkahnfahrt auf
dem Neckar mit deinen
Freunden! Ein Stocherkahn
ist das Tübinger Äquivalent
zur venezianischen Gondola.
Bei schönem Wetter ist eine
Stocherkahnfahrt toll!
Aber wir fahren auch bei
schlechtem Wetter,
dann können wir dir
einen Regen-Poncho leihen.

Regnet es, dann kannst du das Auto- und Spielzeugmuseum Boxenstop besichtigen: Dort kannst du große und kleine Autos, Sportwagen und Fahrräder sehen.

Viel Spaß in Tübingen!

Alles klar?

1. Charakterisiere die Stadt Tübingen.
2. Was kannst du in Tübingen bei schönem Wetter machen? Und bei schlechtem Wetter?
3. Was kann man dir in Tübingen leihen?

Unser Projekt

Freizeit in einer deutschen Kleinstadt – ein Prospekt

1. Wähl eine Stadt aus (Rothenburg ob der Tauber, Naumburg oder Garmisch-Partenkirchen).

2. Such im Internet Informationen über die Freizeitaktivitäten in dieser Stadt (Aktivitäten bei schönem und bei schlechtem Wetter). Schreib einen Text nach dem Modell von Tübingen.

3. Such Fotos von der Stadt und den Aktivitäten.

4. Mach einen Prospekt über diese Stadt.

5. Zeig der Klasse deinen Prospekt und sag, was man in deiner Stadt machen kann.

WEBSITES FÜR INFOS
www.rothenburg.de
www.naumburg-tourismus.de
www.garmisch-partenkirchen.de

Jetzt kannst du's!

→ Cahier d'activités p. 47

1

Wie ist das Wetter heute?

OBJECTIF : Repérer des informations sur la météo.
OUTILS : Le lexique de la météo, les nombres.

Biergarten im Englischen Garten

Écoute le bulletin météo.
Es-tu capable de repérer :

1. la ville où il pleut ?.................. 20%

2. la ville où il neige ? 20%

3. la ville où il fait beau ? 20%

4. la température à Hambourg ?..... 20%

5. la température à Munich ?........ 20%

MON SCORE

20%   40%   60%   80%   100%

→ Cahier d'activités p. 47

2

Was können wir heute machen?

OBJECTIF : Parler des activités que l'on peut faire en fonction de la météo.
OUTILS : Le lexique de la météo et des activités, l'expression de la possibilité.

Freizeitangebote:
Wassersport, Tennis, Bowling,
Radfahren, Kino, Shopping

Regarde le dépliant.
Es-tu capable d'indiquer :

1. un sport d'eau ? 20%

2. ce que tu peux faire à Binz
par beau temps ?..................... 40%

3. ce que tu peux faire à Binz
s'il ne fait pas beau ?................. 40%

MON SCORE

20%   40%   60%   80%   100%

3 Horoskop

→ Cahier d'activités p. 48

OBJECTIFS : Comprendre des traits de caractère et repérer les problèmes que quelqu'un peut rencontrer.
OUTIL : Le lexique de la description morale.

Zwillinge
(21.05 – 21.06)

Lifestyle: Du bist cool. Keiner kann dich mal so richtig stressen. Du hast tolle, kreative Ideen.

Clique: In der Clique bist du absolut präsent und aktiv, aber deine Freunde sind deprimiert. Organisiere was für sie: eine Party oder eine Radtour.

Liebe: Sei nicht so schüchtern.

Dein Supertag: 23.05
An diesem Tag scheint für dich die Sonne. Du bist voller Energie.

Lis l'horoscope des Gémeaux. Es-tu capable :

1. d'indiquer quatre adjectifs qui caractérisent les Gémeaux ? 40%

2. de dire quel problème les amis des Gémeaux vont rencontrer ?...... 30%

3. de noter la solution qui est proposée ?............................. 30%

MON SCORE

20% 40% 60% 80% 100%

4 Kandidaten gesucht!

→ Cahier d'activités p. 48

OBJECTIF : Se présenter en donnant des précisions sur son caractère.
OUTILS : Le lexique de la description morale, l'expression de la cause.

CASTING

Wir suchen Kandidaten für unsere Show!

Réponds à cette annonce en :

1. te présentant brièvement.......... 20%

2. indiquant quatre de tes traits de caractère. 40%

3. indiquant pourquoi tu es le / la candidat(e) idéal(e)............ 40%

MON SCORE

20% 40% 60% 80% 100%

Station 1

Piste 6

Ein Podium für junge Talente

Animateur: Herzlich willkommen im Studio 3 bei „Toi, toi, toi für junge Talente!" Zu Gast haben wir heute eine Gruppe, die Rockmusik macht. Sie heißt „Sahara". Die Musiker sind Caroline, Felix und Ruth. Caroline, kannst du uns mal kurz deine Freunde vorstellen?

Caroline: Ja, natürlich. Also, das hier ist Ruth, und Ruth ist echt gut. Sie spielt Schlagzeug und sie schreibt die Texte für unsere Songs. Supertexte!

Ruth: Aber manchmal ist das auch ein Megastress, aber das mag ich.

Caroline: Und das hier ist Felix.

Animateur: Du Glücklicher! Zwei Supermädchen für dich allein.

Caroline: Ja, und Felix ist unser Supermann in Person.

Felix: Ach was, ich bin ganz normal.

Animateur: Ein bisschen schüchtern vielleicht?

Felix: Nee, ich glaube nicht. Ich höre einfach gern zu.

Caroline: Felix kann jedenfalls alles: komponieren, singen, Gitarre spielen …

Ruth: Und er ist ein Organisationsgenie. Was Felix macht, funktioniert.

Animateur: Gut, und jetzt kurz zu dir, Caroline.

Caroline: Also ich spiele Bassgitarre und ich singe.

Animateur: Danke euch. – Und jetzt hören wir „Sahara".

Station 2

Piste 7

Was können wir am Samstag machen?

Lars: Schlittschuhlaufen auf der Alster ist eine gute Idee. Aber ich habe keine Schlittschuhe.

Tobias: Kein Problem, ich habe zwei Paar. Ich kann dir ein Paar leihen.

Lars: Danke, das ist nett von dir.

Tobias: Wir können aber auch auf den Dom gehen.

Lars: Oh ja, stimmt, jetzt ist Dom. Ich habe Lust. Und du?

Tobias: Ich auch. Aber nur bei schönem Wetter.

Lars: Ja, klar. Und was machen wir bei schlechtem Wetter?

Tobias: Na, dann können wir ins Kino gehen.

Lars: Kino? Nein, danke, keine Lust.

Tobias: Okay. Wie ist es mit Bowling?

Lars: Hm, warum nicht? Aber Moment, sieh mal hier! Disco Blue Moon, Lübecker Straße. Rock-Festival Live. Samstag 20 Uhr: „Sahara". – Ich kenne die Gruppe. Sie ist spitze.

Tobias: Dann haben wir ja das Programm für Samstagabend.

Station 3

Pistes 8-10

Hilfe!

1. Jens und Charlotte

Charlotte: Charlotte Dreier.

Jens: Hallo, Charlotte. Hier ist Jens.

Charlotte: Hallo, Jens. Tut mir leid, aber mein Bruder ist nicht da.

Jens: Das macht nichts. Ich möchte mit dir sprechen.

Charlotte: Mit mir?

Jens: Ja. Du bist doch gut in Mathematik, stimmt's?

Charlotte: Ja. Warum?

Jens: Wir schreiben morgen eine Mathearbeit, und ich verstehe nichts. Kannst du mir helfen?

Charlotte: Na klar! Um fünf Uhr, passt dir das?

Jens: Ja, natürlich. Vielen Dank.

Charlotte: Tschüs! Bis nachher!

2. Anika und Benjamin

Benjamin: Benjamin Jasper.

Anika: Benni, ich habe ein Riesenproblem. Meine Stereoanlage ist kaputt, und bis Samstag kann niemand sie reparieren. Eine Geburtstagsparty ohne Musik, das ist eine Katastrophe. Was mache ich bloß?

Benjamin: Zuerst sagst du mir mal guten Tag, liebe Anika.

Anika: Oh ja, natürlich! Entschuldigung, aber ich bin so sauer. Die Anlage ist ganz neu.

Benjamin: Meine Anlage auch. Ich leihe sie dir. Ich bringe sie am Samstag mit.

Anika: Wirklich? Oh, Benni, du bist so süß!

3. Silke und Chiara

Chiara: Maggio.

Silke: Bist du das, Chiara?

Chiara: Ja. Wer ist da bitte?

Silke: Silke Hansen.

Chiara: Hallo, Silke.

Silke: Wie gehts dir, Chiara?

Chiara: Gut, danke. Und dir?

Silke: Es geht so. Sag mal, Chiara, ich komme nächstes Wochenende nach Hamburg.

Chiara: Toll!

Silke: Ich möchte mit einer Freundin auf den Dom.

Chiara: Und?

Silke: Die Jugendherberge ist geschlossen. Können wir vielleicht bei dir übernachten?

Chiara: Tut mir leid, das geht nicht. Wir haben Besuch aus Italien, meine Tante und meine Cousine. – Oh, meine Mutter braucht mich. Tschüs Silke.

2 Mein Schulplan

Hör dir die Situationen an. Wo spielt jede Szene?

BEISPIEL: Szene 1 spielt im ... / in der ...

Hier und dort

Raum	room

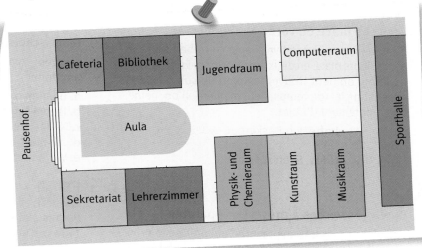

Auf dem Plan: Cafeteria · Bibliothek · Jugendraum · Computerraum · Pausenhof · Aula · Sporthalle · Sekretariat · Lehrerzimmer · Physik- und Chemieraum · Kunstraum · Musikraum

3 Im Klassenzimmer

Schau dir das Bild an. Was sagt dein Lehrer zu jedem Schüler?

Vokabeln

*auf*passen
das Handy *aus*schalten
die Kappe *ab*nehmen
den MP3-Player *her*geben
nicht essen
nicht trinken
still sein

Zwischenstation

■ **Schulregeln**

Bildet Gruppen und schreibt 5 Regeln für einen Ort in der Schule (z. B. Cafeteria, Bibliothek...).

BEISPIEL: In der Cafeteria:
– Bring dein Tablett zurück.
– ...

→ Cahier d'activités p. 56

Ich kann's

❥ Je comprends une indication de lieu.
❥ Je sais localiser quelque chose ou quelqu'un.
❥ Je sais donner une consigne ou un ordre.

Sprache aktiv

→ Cahier d'activités p. 51
→ Mémento grammatical p. 122 et 128

Station 1

1 La place du verbe conjugué

Dans la phrase déclarative simple, le verbe conjugué est toujours placé en deuxième position. En première position, on peut trouver le sujet, un complément circonstanciel (de temps, lieu, manière...) ou même un complément d'objet.

Heute **habe** ich Basketball-AG.
1   2

Um 8 Uhr **fährt** Sven zur Schule.
1   2

2 Les verbes à préverbe séparable

Certains verbes ont un préverbe qui précise le sens du verbe. Quand il est accentué, ce préverbe reste en dernière position quand le verbe est conjugué.

fernsehen

Tom **sieht** gern **fern**.
Sieht Tom gern **fern**?

1 Réécris les phrases en mettant en première position un complément circonstanciel de temps, choisi dans la liste suivante.

morgen – am Montag um 10 Uhr – am 3. Oktober – am Donnerstagnachmittag – um 10 nach 7

a. Bastian hat Mathe.
b. Isabel schläft bei Yeliz.
c. Niklas steht auf.
d. Ich mache Judo.
e. Wir haben keine Schule.

2 Écris une phrase avec chacun de ces verbes à préverbe séparable pour dire si tu aimes faire ces activités ou pas.

a. Freunde *an*rufen
b. um 7 Uhr *auf*stehen
c. um 8 Uhr in der Schule *an*fangen
d. am Abend *fern*sehen

→ Cahier d'activités p. 54
→ Mémento grammatical p. 128

Station 2

1 Le verbe de modalité *müssen* (obligation, nécessité)

ich muss**Ø**	wir müss**en**
du muss**t**	ihr müss**t**
er / sie muss**Ø**	sie müss**en**

3 À partir des éléments suivants, rédige des phrases avec *müssen*.

a. Lea und Verena / um 16 Uhr zu Hause sein
b. ich / meine kleine Schwester von der Schule abholen
c. wir / heute Abend um halb 9 am Bahnhof sein
d. du / dein Fahrrad reparieren
e. Bastian / auch am Nachmittag zur Schule gehen
f. ihr / die Lektion für morgen lernen

4 Pauvre Toni ! Tout le monde refuse ses propositions ! Complète les réponses en utilisant le verbe *müssen*.

a. **Toni:** Bettina, willst du heute Abend mit mir ins Kino gehen?
Bettina: Tut mir Leid, ich kann nicht, ich ...
b. **Toni:** Kann Andreas morgen bei der Kunst-AG mitmachen?
Sonja: Ich glaube, morgen kann er nicht, er ...
c. **Toni:** Tobias und Paul, könnt ihr mir jetzt helfen? Ich verstehe die Matheübung nicht.
Tobias und Paul: Ja gern, aber nicht jetzt, wir ...

Station 3

→ Cahier d'activités p. 57
→ Mémento grammatical p. 127 et 128

1 Le locatif (1)

Pour indiquer le lieu à l'intérieur duquel se situe une action (question *wo?*), on peut utiliser la préposition *in* suivie du datif.

• Avec un nom féminin :
Die Schüler essen **in der** Cafeteria.

• Avec un nom masculin ou neutre :
Im Jugendraum kann man Billard spielen.
Frau Liebermann arbeitet **im** Lehrerzimmer.
(***Im*** est la forme contractée de ***in dem***.)

2 L'impératif (1)

L'impératif sert à exprimer un ordre, une consigne ou un conseil.

Dans la langue courante, la 2ᵉ personne du singulier se limite le plus souvent au radical sans terminaison.
Bring mir bitte dein Heft!   **Ruf** Oma an!
Fahr nicht so schnell!   **Sei** nicht so laut!

La terminaison *-e* ne subsiste que là où elle facilite la prononciation.
Schalt**e** das Handy aus!

Seuls les verbes forts en « e » conservent le changement de voyelle au radical.
geben → er gibt → Gib mir das Handy!
lesen → er liest → Lies bitte den Text!

5

Complète la phrase en indiquant des lieux de rendez-vous. Cherche le genre des mots avant de commencer.

Wo treffen wir uns? Wir treffen uns …
a. Museum – **b.** Disco – **c.** Park – **d.** Kino – **e.** Jugendzentrum – **f.** Schule – **g.** Internetcafé – **h.** Fußballclub – **i.** Pizzeria – **j.** Theater

6

Reformule les phrases selon le modèle.

Hier kann man Getränke kaufen. → *In der Cafeteria kann man Getränke kaufen.*

a. Hier kann man Bücher lesen.
b. Hier machen wir Experimente.
c. In diesem Raum gibt es keine Schüler.
d. Hier organisieren die Schüler zum Beispiel Konzerte.
e. Hier kann man Billard spielen.

7

Complète les consignes données par le professeur à un élève.

a. (*auf*schlagen) dein Buch! **b.** (*vor*lesen) den Text! **c.** (schreiben) die Vokabeln in dein Heft! **d.** (*auf*stehen)! **e.** (sprechen) lauter! **f.** (kommen) an die Tafel! **g.** (helfen) deinem Mitschüler! **h.** (*zu*hören)! **i.** (kleben) das Blatt in dein Heft!

Vokabeln Kurz und gut

1 Die Monate
Januar	Juli
Februar	August
März	September
April	Oktober
Mai	November
Juni	Dezember

2 Der Tag
am Vormittag
zu Mittag
am Nachmittag
am Abend

3 Der Schultag
*auf*stehen
frühstücken
duschen
zur Schule fahren / gehen
Hausaufgaben machen
*fern*sehen
ins Bett gehen

4 Die Schulfächer
Deutsch	Geschichte
Englisch	Erdkunde
Französisch	Sozialkunde
Kunst	Physik
Musik	Chemie
Informatik	Biologie
Religion	Mathematik

Endstation

Schulen in Deutschland

Die deutschen Schüler besuchen von 6 bis 10 Jahren die **Grundschule** (1. bis 4. Klasse). Dann gibt es 3 Schultypen: Die **Hauptschule** dauert in der Regel 5 Jahre, die **Realschule** 6 Jahre und das **Gymnasium** 8 oder 9 Jahre. Die **Gesamtschule** ist eine Kombination von allen 3 Schulen.

Hallo, ich heiße Katja. Ich gehe in die Hauptschule und bin in der 8. Klasse. Ich habe von 7.30 Uhr bis 15 Uhr Unterricht. Neben den normalen Fächern wie Mathe, Deutsch oder Englisch gibt es über 50 spezielle Kurse, wie z. B. einen Zirkuskurs. Und ab der 8. Klasse müssen wir ein Praktikum in einem Betrieb machen.

Hauptschülerin beim Betriebspraktikum

Schülermediator in der Realschule

Ich bin Alexander und besuche die 10. Klasse. In meiner Schule bin ich Schülermediator, weil ich Konflikte total doof finde und anderen gerne helfe. Die Schule organisiert zweimal im Jahr eine Klassenfahrt, und dieses Jahr fahren wir nach München. Ich freue mich schon!

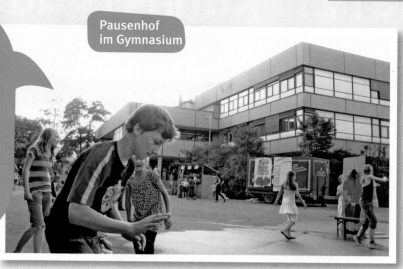

Pausenhof
im Gymnasium

Ich bin Karl. Ich bin in der Klasse 7b vom Geschwister-Scholl-Gymnasium. Ich muss sehr früh aufstehen, weil die Schule um 7.45 Uhr anfängt. Sie endet in der Regel um 13 Uhr, aber einmal in der Woche habe ich am Nachmittag Unterricht. Wir haben eine Partnerschule in Lyon und ich mache dieses Jahr beim Austausch mit.

Mittagessen
in der Gesamtschule

Die Bertolt-Brecht-Gesamtschule ist modern und die Lehrer sind okay. Im Jugendraum können wir Tischtennis und Kicker spielen. Das finde ich klasse! Wir haben von 8.15 Uhr bis 15.55 Uhr Schule. Zu Mittag essen wir in der Kantine. Wir organisieren dieses Jahr eine Projektwoche zum Thema „Schule ohne Rassismus".

Alles klar?

1. **Wie alt sind ungefähr Katja, Alexander und Karl?**
2. **Richtig oder falsch? Zitiere die Textstelle.**
   a. Karl hat am Nachmittag keine Schule.
   b. Alexander ist ein engagierter Junge.
   c. Das Geschwister-Scholl-Gymnasium organisiert eine Klassenfahrt nach Frankreich.
   d. In der Bertolt-Brecht-Gesamtschule kann man nicht zu Mittag essen.

Unser Projekt

Porträt von unserer Schule

1. Beschreib dein *collège* für deine Partnerschule (Unterrichtszeiten – Projekte – Lehrer – Klassenräume).

2. Kleb Fotos von deiner Schule ein und schreib Kommentare dazu.

Jetzt kannst du's!

→ Cahier d'activités p. 59

1 Was machen wir wann?

OBJECTIFS : Comprendre une date, un horaire.
OUTILS : Les jours, les mois, les heures, les activités de la journée.

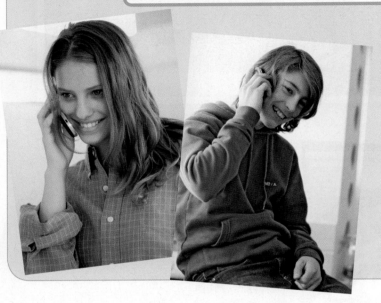

Écoute ces adolescents qui se donnent rendez-vous et relève les informations suivantes :

1. Quelle est la proposition ? 20%

2. Quelle est la raison
du premier refus ? 30%

3. Que font-ils finalement
et à quelle heure ?.................... 50%

MON SCORE

20%   40%   60%   80%   100%

→ Cahier d'activités p. 59

2 Adrians Tag

OBJECTIFS : Décrire précisément une journée dans la vie d'un élève.
Parler des obligations.
OUTILS : Le lexique de l'école, l'heure, le verbe de modalité *müssen*.

MITTWOCH, DEN 7.2.

Observe la bande dessinée et raconte le plus précisément possible la journée d'Adrian. Indique :

1. quel jour on est................. 20%

2. quelle heure il est. 40%

3. ce que fait Adrian................. 40%

MON SCORE

20%   40%   60%   80%   100%

→ Cahier d'activités p. 60

3 Homepage

Objectif : Comprendre la présentation d'un établissement.
Outils : Les types d'école, les horaires, les lieux d'un établissement, les activités.

http://www.erich-kaestner-realschule.de

Die Erich-Kästner-Realschule ist eine Ganztagsschule (geöffnet von 7.30 bis 16.30 Uhr) mit 36 Lehrern und ca. 300 Schülern. Sie umfasst die Jahrgänge 5 bis 9.

Eine Schulpartnerschaft gibt es mit einer Schule in Dänemark. Schülersprachreisen finden ab Klasse 8 nach England, Frankreich und Russland statt.

Ein Fotokurs findet jeden Freitag statt.
Den Schülern stehen ein Computerraum mit Internet-Zugang, 3 Lehrräume für Physik und Chemie, 2 Kunsträume und eine große Cafeteria zur Verfügung. Zudem hat unsere Schule eine moderne Sporthalle und eine Bibliothek.

Voici des informations trouvées sur le site d'une école allemande. Peux-tu indiquer :

1. le type et le nom de l'école ?...... 10%
2. les horaires de cours ?............. 10%
3. les salles et installations de l'école ?.......................... 40%
4. les activités et projets proposés ?........................... 40%

MON SCORE

20%   40%   60%   80%   100%

→ Cahier d'activités p. 60

4 Lauras Schultag

Objectif : Présenter un établissement scolaire.
Outils : Les horaires, les matières.

- LAURA MÜLLER
- MARTIN-LUTHER-GESAMTSCHULE
- 7. KLASSE
- 8 UHR–15.30 UHR
- MITTAGESSEN IN DER KANTINE
- LIEBLINGSFÄCHER: SPORT UND ENGLISCH
- 16.15 UHR : AG SINGEN UND TANZEN

À partir des notes prises lors d'une interview avec une élève allemande, rédige un court texte sur elle et son école. Indique :

1. le type d'école qu'elle fréquente... 20%
2. sa classe............................ 20%
3. le déroulement de sa journée.... 40%
4. ses matières préférées........... 20%

MON SCORE

20%   40%   60%   80%   100%

Station 1 — Was machen Stefan und Nadir morgen?

Piste 11

Stefan schläft heute bei seinem Freund Nadir. Sie gehen beide in die Realschule in Essen: Nadir in die 8b, Stefan in die 8c.

Nadirs Mutter: Nadir, es ist Viertel nach neun.

Nadir: Okay. Komm, Stefan, wir gehen schlafen. Wann hast du morgen Schule?

Stefan: Öh… was ist morgen?

Nadir: Morgen ist Freitag, der erste Dezember, du Schlafmütze!

Stefan: Morgen habe ich um acht Schule. Ich fange mit Französisch an, dann habe ich Mathe, Deutsch und Englisch. Und am Nachmittag Tischtennis-AG von zwei bis vier Uhr.

Nadir: Du stehst also um Viertel nach sieben auf. Dann frühstücken wir zusammen. Mit dem Fahrrad bist du in einer Viertelstunde in der Schule.

Stefan: Und du?

Nadir: Ich habe morgen Zeit. Ich muss um Viertel nach neun am Bahnhof sein. Meine Klasse macht einen Ausflug nach Köln ins Museum Ludwig.

Stefan: Wann seid ihr zurück?

Nadir: Um drei. Und um vier Uhr habe ich Fußballtraining.

Stefan: Treffen wir uns um sechs bei mir?

Nadir: Und meine Hausaufgaben?

Stefan: Deine Hausaufgaben kannst du am Abend machen. Gute Nacht! Schlaf gut!

Station 3 — Tag der offenen Tür

Piste 12

Maja (14) zeigt Lorenz (10) die Schule.

Maja: Also hier ist die Cafeteria. In der Cafeteria gibt's Brötchen, Kuchen und Getränke. Sie ist bis 15 Uhr geöffnet. Hier kannst du auch Mittag essen. Komm, wir gehen weiter!

Lorenz: Und was ist da drüben?

Maja: Da ist das Sekretariat und das Lehrerzimmer. Dann kommt links die Bibliothek und rechts der Jugendraum. Er ist nachmittags geöffnet. Sieh mal hier!

Lorenz: Ey, super! Billard, Tischfußball und eine Tischtennisplatte! Aber gibt's hier keine Computer?

Maja: Die sind in der Bibliothek.

Lorenz: Und wo sind die Klassenräume?

Maja: Im ersten und im zweiten Stock. Schalte bitte dein Handy aus! Bring es nicht mit in die Schule! Handys sind verboten.

Lorenz: Auch auf dem Pausenhof?

Maja: Auch auf dem Pausenhof.

Station 3

→ Cahier d'activités p. 69
→ Mémento grammatical p. 127

1 La préposition *mit*

Le groupe introduit par *mit* permet de caractériser une personne ou un objet. La préposition *mit* est toujours suivie du **datif**.
Das Mädchen **mit der Sonnenbrille** heißt Susanne.

Mit permet également d'exprimer :
• l'association d'éléments
Jeans **mit einem T-Shirt**, das ist total cool.
• le moyen
Wir fahren **mit dem Auto** in die Stadt.

2 Le directif (2)

Lorsque la préposition *in* indique l'entrée dans un lieu (directif), elle est suivie de l'**accusatif**.
Wir fahren **in die Stadt**.

⚠ Avec les prépositions spatiales (*in, an, auf, unter, neben, vor*), l'opposition locatif/directif est marquée par une opposition de cas.
• Locatif (question *Wo?*): position/séjour dans un lieu
→ datif :
Die Mädchen sind **im** Modegeschäft.

• Directif (question *Wohin?*): changement de lieu
→ accusatif :
Die Mädchen wollen **ins** Modegeschäft gehen.
(*Ins* est la forme contractée de *in das*.)

6 Complète par les marques qui conviennent.

a. Der Junge mit d... Jeansjacke und d... Stiefel... sieht wie ein Cowboy aus.
b. Das Mädchen mit d... Turnschuhe... finde ich einfach toll.
c. Sie trägt einen Rock mit ein... Fanshirt der Rolling Stones.
d. Darf ich mit mein... Schwester kommen?
e. Ich habe kein Auto. Ich fahre mit d... Bus oder mit d... Fahrrad in die Stadt.

7 Réponds à la question selon le modèle en indiquant à chaque fois dans quel lieu tu vas. Cherche le genre des noms avant de commencer.

Wohin gehst du? → *Ich gehe in die Schule.*
a. Schwimmbad   **b.** Schuhgeschäft
c. CD-Laden   **d.** Modepassage
e. Kino   **f.** Supermarkt
g. Café   **h.** Konditorei
i. Rathaus

Vokabeln Kurz und gut

1 Die Möbel
das Bett (en)
die Kommode (n)
das Regal (e)
der Schrank ("e)
der Stuhl ("e)
der Tisch (e)
der Schreibtisch (e)

2 Wo?
an der Tür hängen
im Bett liegen
neben dem Computer liegen
auf dem Stuhl sitzen
vor der Tür stehen

3 Den Weg beschreiben
nach dem Weg fragen
geradeaus gehen
nach links fahren
nach links *abbiegen*
in die Mozartstraße *abbiegen*
bis zur Ampel / Kreuzung fahren
über die Straße gehen

4 Die Geschäfte
das Sportgeschäft (e)
der CD-Laden (")
der Supermarkt ("e)
die Bäckerei (en)
die Konditorei (en)
die Apotheke (n)

5 Die Stadt
die Kirche (n)
das Rathaus
das Parkhaus ("er)
das Schwimmbad ("er)
die Stadthalle (n)
der Stadtpark (s)

Endstation

Ein Besuch in München

Grüß Gott!
Schön, dass du mal mit
deiner Familie zu uns
kommst, aber schade,
dass ihr nur drei Tage
bleiben könnt! Na ja,
ich habe ein ganz tolles
Programm für euch! Wir
beginnen morgen mit der
Frauenkirche, dann...

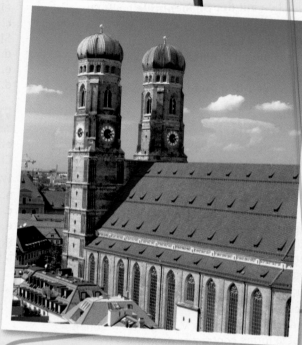

Die Frauenkirche

Sie steht in der Fußgängerzone. Von oben sieht
man die Stadt und bei schönem Wetter kann man
die Alpen sehen. Viele Touristen fotografieren
den Teufelstritt in der Kirche. Neben der Kirche ist
es immer windig. Warum? Fragt doch den Teufel*!

* le diable

Die Allianz-Arena, die modernste Fußball-Arena Europas!

Ein tolles Stadion für die Spieler und
für die Fußballfans! Die Allianz-Arena
hat eine Kapazität von 66 000
Zuschauern – einfach gigantisch!
Das Stadion leuchtet an Spieltagen rot
oder blau. Schaut mal, wie schön
sie ist! Wer spielt in der Allianz-Arena?
Der FC Bayern München natürlich!

Das Münchner Rathaus am Marienplatz

Weltberühmt ist sein Glockenspiel. Es klingelt dreimal täglich um 11 Uhr, 12 Uhr und 17 Uhr. Vom 85 Meter hohen Rathausturm hat man einen schönen Blick auf München. Auf dem Turm steht ein kleiner Mönch* – das Münchner Kindl, ein Symbol der Stadt. Der Name München kommt ja auch von „Mönch"!

* le moine

Das Deutsche Museum, 50 000 qm für die Technik-Fans!

Autos stehen neben Schiffen und Flugzeuge neben Diesellokomotiven – Atommodelle liegen unter dem Universum! Einfach genial! Jedes Jahr besuchen mehr als eine Million Technik-Fans das Deutsche Museum!

Alles klar?

1. Nenne drei Symbole der Stadt München.
2. Warum sieht man einen Mönch im Stadtwappen?
3. Wann leuchtet die Allianz-Arena?

Unser Projekt

Einen Besuch unserer Stadt für die Partnerklasse organisieren

1. Sammle Informationen und Fotos von Sehenswürdigkeiten in deiner Stadt (was dich und die Schüler der Partnerklasse interessiert).

2. Schreib einen kurzen Text zu den Fotos.

3. Mach eine Collage aus dem Text und den Fotos.

4. Zeichne einen Plan, wie man zu den Sehenswürdigkeiten kommt.

5. Erklär deiner Partnerklasse, wie sie von einer Sehenswürdigkeit zur anderen geht.

Jetzt kannst du's!

➜ Cahier d'activités p. 71

1 Wie komme ich zu...?

OBJECTIF : Comprendre un itinéraire donné.
OUTILS : Le lexique des lieux publics et des magasins, les indications concernant l'orientation dans l'espace.

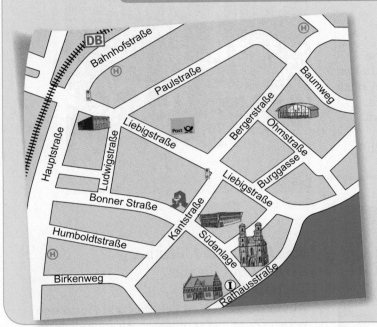

Aurel demande son chemin à un passant. Repère les informations suivantes :

1. le lieu où Aurel et le passant se trouvent. 10%

2. le lieu où Aurel veut se rendre.... 10%

3. le nom des rues dont le passant parle. 20%

4. le nom des bâtiments publics et des magasins que le passant évoque... 30%

5. les indications que le passant donne sur l'itinéraire à suivre. 30%

MON SCORE

20%   40%   60%   80%   100%

➜ Cahier d'activités p. 71

2 Wohnung in Bayern

OBJECTIFS : Comprendre une description d'appartement et le situer.
OUTILS : Le lexique des pièces de la maison, de l'orientation dans l'espace.

720 Euro/Monat
Farchant (3 km vor Garmisch-Partenkirchen)

Von der Apotheke aus rechts, dann 30 m geradeaus, dann links in die Alpspitzstraße bis Nr. 27.

5-Zimmer-Wohnung (110 qm) zu vermieten: Wohnzimmer, Esszimmer, Schlafzimmer, zwei Kinderzimmer. Große Küche. Badezimmer mit WC und Dusche. Schöner Balkon.

Lis cette annonce et indique :

1. dans quelle ville se trouve l'appartement. 20%

2. le chemin pour arriver à l'appartement. 30%

3. le nombre de pièces. 10%

4. quelles sont les différentes pièces. 40%

MON SCORE

20%   40%   60%   80%   100%

③ So ein Durcheinander!

➔ Cahier d'activités p. 72

OBJECTIF : Savoir situer des objets.
OUTILS : Le lexique des meubles et des objets. Les verbes de position et les prépositions spatiales.

Quel désordre ! Regarde bien l'image, puis indique :

1. les différents meubles que tu vois............................ 30%

2. les différents objets que tu vois............................ 30%

3. où se trouvent les objets par rapport aux meubles.................... 40%

MON SCORE

 20%   40%   60%   80%   100%

④ Was darf man hier?

➔ Cahier d'activités p. 72

OBJECTIFS : Indiquer ce que l'on a le droit de faire et ce que l'on ne doit pas faire.
OUTIL : Le verbe de modalité *dürfen*.

Regarde les deux panneaux et écris :

1. les choses que l'on a le droit de faire................................. 50%

2. les choses que l'on ne doit pas faire. 50%

MON SCORE

 20%   40%   60%   80%   100%

Wo ist es bloß?

Frau Speth: Tag, Thomas!

Thomas: Hallo, Frau Speth! Ist Stefan zu Hause?

Frau Speth: Ja, ja. Komm herein! Stefan, Stefan! Stefan, wo bist du denn? Er ist sicher in seinem Zimmer und hört Musik.

Thomas: Hallo, Stefan! Hörst du nicht? Was machst du denn?

Stefan: So ein Mist! Ich suche mein Handy.

Thomas: Dein Handy?

Stefan: Ja, es ist ganz neu. Supermodern mit MP3- und Videoplayer. Ich finde es einfach nicht.

Thomas: Liegt es vielleicht in deinem Zimmer auf dem Schreibtisch? Neben dem Computer?

Stefan: Nein, auf dem Schreibtisch ist es nicht. Unter meinem Bett und im Papierkorb ist es auch nicht.

Thomas: Und in der Küche?

Stefan: Och, in der Küche kann es nicht sein! Aber vielleicht im Wohnzimmer! Schau mal, links neben der Tür steht eine Kommode. Liegt es dort auf der Kommode?

Thomas: Moment. Nein, hier ist es nicht. Du! Ich habe eine Idee. Ich rufe dich einfach mit meinem Handy an.

Stefan: Es ist in meinem Zimmer! An der Tür. Da hängt mein Anorak. Na klar, das Handy ist in meinem Anorak! – Und?

Wie findest du mein neues Handy?

Thomas: Wow! Super klasse!

Nach dem Weg fragen

Dialog 1

Stefan: Entschuldigen Sie bitte! Wir suchen die Stadthalle in der Mozartstraße.

Eine Dame: Was wollt ihr denn da?

Thomas: Ein Handballspiel sehen: Konstanz gegen Ravensburg.

Eine Dame: Ach so! Da geht ihr geradeaus bis zum Rathaus. Dann geht ihr dort links in die Hauptstraße. Geht dann bis zur Augustinerkirche. Links seht ihr dann den Stadtpark. Geht dann nach rechts in die Mozartstraße. Von da bis zur Stadthalle sind es noch drei Minuten.

Thomas: Vielen Dank! Wiedersehn!

Dialog 2

Autofahrer: Hallo! Entschuldigung, wie komme ich zur Stadthalle?

Dame: Ach ja, dort ist heute ein Handballspiel.

Autofahrer: So ist es!

Dame: Tja, also mit dem Auto… da fahren Sie geradeaus bis zum Schwimmbad, dann fahren Sie links bis zum Stadtpark, dort biegen Sie nach rechts ab in die Mozartstraße. Die Stadthalle sehen Sie dort gleich rechts. Aber Achtung, vor der Stadthalle darf man nicht parken. Fahren Sie 100 Meter weiter, dort ist rechts ein Parkhaus. Da dürfen Sie parken.

Autofahrer: Vielen Dank!

Station 3

Wir fahren in die Stadt

Fred: Hallo, ihr Schönen, wohin geht's denn?

Karen: Wir fahren in die Stadt.

Fred: Wollt ihr ins Kino? Oder ins Café?

Christine: Nein, nein, wir gehen in die Modepassage am Stadtpark.

Fred: Aha! Shoppingtour also!

Karen: Komm doch mit! Dort gibt es auch Mode für den Herrn, haha!

Fred: Warum nicht, okay, ich komme mit!

(dans une boutique)

Christine: Schau mal die Stretchjeans; die probiere ich! Oh, … zu kurz!

Karen: Schade.

Christine: Nicht schlimm. Ist ja auch viel zu teuer für mich.

Fred: Hier, probier doch mal den Minirock mit dem roten T-Shirt an.

Christine: Jeans und T-Shirt, das ist doch immer modern.

Fred: Warum wollen Mädchen nur noch Hosen tragen? Ich finde Mädchen mit Minirock einfach super attraktiv.

Karen: Ich probiere jetzt mal das rote T-Shirt und den Minirock an. Schön, dass rot wieder Mode ist. Schwarz ist nicht mein Stil.

(Karen sort d'une cabine d'essayage)

Fred: Wow, Karen mit Minirock!! Große klasse! Und rot ist deine Farbe.

Christine: Tja, sieht ganz gut aus. Kaufst du es?

Karen: Minirock und T-Shirt, das geht nicht!

Fred: Schade, dass du nicht genug Geld hast.

Je vais apprendre à...

 Écouter

- Comprendre ce que quelqu'un a fait pendant la journée.

 Lire

- Comprendre la description de quelqu'un.
- Comprendre un court récit au passé.

 Parler en continu

- Décrire une action située dans le passé.
- Raconter la journée de quelqu'un.
- Formuler des hypothèses.

 Parler avec quelqu'un

- Échanger des informations sur le physique de quelqu'un.

 Écrire

- Raconter ce que j'ai fait pendant le week-end.

Unser Projekt

> Rédiger une brève.

Was ist passiert?

1 Hast du Fabian gesehen?

a. Schau dir das Bild an. Warum ruft Frau Werner Adrian an? Formuliere Hypothesen.

b. Hör dir den Dialog an. Was ist das Problem?

Élève
Piste 17

c. Was hat Fabian heute gemacht?

> **BEISPIEL:** Am Morgen …
> In der ersten Stunde …

➜ Cahier d'activités p. 73

Fortsetzung folgt ➜

Vokabeln

Er hatte …
Er war …
Er wollte …
Er hat … gespielt.
Er hat mit … gesprochen.

Sprechtraining

■ [h] ou [ʔ]
➜ Cahier d'activités p. 74

Classe

2 Wer hat die Krone gestohlen?

a. Was ist passiert? Wo? Wann?

b. Der Kommissar hat vier Personen befragt. Hör zu.
Was hat jede Person gemacht?
Wo war sie? Wann?

c. Wer hat kein gutes Alibi?

→ Cahier d'activités p. 73

AACHENER NACHRICHTEN | Politik, Kultur und Sport
Mi 5.12.2008 1,20 Euro

Einbruch gestern im Aachener Dom:
Krone Karls des Großen ist verschwunden!

- Thomas Fischer (Museumswächter) hat …
- Angelika Funke (Besucherin) war im Museum um …
- Stefan Imker (Student) …
- Tessa Weißberg (Museumsführerin) hat …

3 Aber was war denn los?

a. Lies Holgers E-Mail. Was war gestern mit Leo?

b. Was antwortet Leo? Schreib die E-Mail.

→ Cahier d'activités p. 74

Vokabeln

müde sein
keine Zeit haben
kommen wollen
nicht kommen können
für die Schule lernen

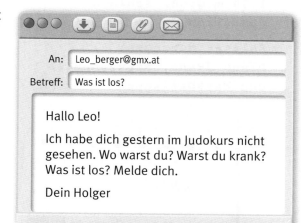

An: Leo_berger@gmx.at

Betreff: Was ist los?

Hallo Leo!

Ich habe dich gestern im Judokurs nicht gesehen. Wo warst du? Warst du krank? Was ist los? Melde dich.

Dein Holger

Zwischenstation

■ **Was wir gestern gemacht haben**

Was habt ihr gestern gemacht?
Ein Mitschüler war gestern nicht da. Erzähl ihm, was ihr gestern in der Schule gemacht habt.

BEISPIEL: Zuerst hatten wir …

Ich kann's

☺ Je comprends et je sais décrire une action située dans le passé.

☺ Je sais raconter ce que j'ai fait dans une journée.

Beim Kommissar

1 Fabians Profil

Lies die drei Dokumente aus den Akten des Kommissars.

a. Merk dir die Informationen über Fabian (Aussehen, Charakter, persönlichen Kontext) und mach die Bilanz.

b. Was ist vielleicht passiert? Formuliere Hypothesen und nenne Indizien.

BEISPIEL: Es kann sein, dass ... Ich glaube, dass ...

➜ Cahier d'activités p. 76

VERMISST

Fabian Werner
(15), Schüler

blonde Haare

grüne Augen

1.70 m groß, schlank,
sportlich

Zuletzt getragen:
blaue Jeans, Kapuzenpulli
und Baseballkappe

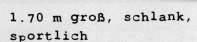

An : kommissar-fuchs@t-online.de

Betreff : Fabian Werner

Sehr geehrter Herr Fuchs,

hier ein paar Informationen zu Fabian Werner, Schüler am IKG.

Fabian ist sehr kreativ, er ist in der Theatergruppe von der Schule. Er hat nie die Schule geschwänzt und er hat gute Noten. Aber in letzter Zeit haben seine Lehrer gemerkt, dass er ein bisschen gestresst war. Außerdem hat er mir gesagt, dass er nicht auf die Klassenfahrt nach Wien mitfahren kann. Es kann sein, dass die Theateraufführung in 3 Wochen ihn stresst.

Herzliche Grüße

Frau Zeitler
Vertrauenslehrerin

Fortsetzung folgt ➜

• Einzelkind

• Lebt allein mit seiner Mutter.
Vater arbeitet in der Schweiz.

• Freundin ist Sängerin in
einer Rockband.

• Konflikt mit den Eltern/
mit der Freundin??

Vokabeln

die Schule schwänzen (hat ... geschwänzt)
einen Unfall haben
in die Schweiz fahren (ist ... gefahren)

Sprechtraining

■ La diphtongue [au]
➜ Cahier d'activités p. 77

Station **3**

➔ Cahier d'activités p. 81
➔ Mémento grammatical p. 129

1 Formes particulières du participe II

• Pour les verbes à préverbe séparable, *ge-* se place toujours devant le radical du verbe.
*ein*kaufen → Er hat *ein***ge**kauft.

• Les verbes qui ne sont pas accentués sur la première syllabe ne prennent pas *ge-* devant le radical. C'est en particulier le cas des verbes à préverbe inséparable ou formés avec le suffixe *-ieren*.
besuchen → er hat ... **besucht**
bekommen → er hat ... **bekommen**
verlieren → er hat **verloren**
organisieren → er hat ... **organisiert**

2 Le choix de l'auxiliaire au parfait

• On emploie l'auxiliaire *sein* avec les verbes intransitifs (= qui ne sont pas suivis d'un complément d'objet à l'accusatif) lorsqu'ils expriment un **déplacement** ou un **changement d'état**, ainsi qu'avec le verbe *bleiben* :
Sie **ist** zu einer Freundin **gegangen**.
Du **bist** aber groß **geworden**!
Ich **bin** gestern zu Hause **geblieben**.

• Dans les autres cas, on emploie l'auxiliaire *haben* :
Ich **habe** meinen Bruder nach Köln **begleitet**.
(*begleiten* exprime un déplacement, mais est transitif.)

5 Complète par le participe II (les verbes forts sont signalés par une étoile).

a. fotografieren: Hast du in Rom viel ...?
b. *vor*lesen*: Hat der Lehrer den Text ...?
c. erzählen: Hat Herr Bauer dem Kommissar die ganze Geschichte ...?
d. vergessen*: Habt ihr das Handy zu Hause ...?
e. *fern*sehen*: Haben die Kinder den ganzen Tag ...?
f. reparieren: Hat Klaus das Auto schon ...?
g. *an*rufen*: Hast du deine Freundin ...?

6 Décris la matinée de Theo à partir des groupes verbaux suivants.

a. um 8 Uhr ins Bad gegangen
b. um 8 Uhr 25 gefrühstückt (Brötchen gegessen, Kaffee getrunken, Zeitung gelesen)
c. um 9 Uhr 15 zu Sonja gefahren
d. von 10 bis 11 Uhr bei ihr geblieben
e. um 11 Uhr 15 Susanne besucht
f. um 12 Uhr nach Hause gekommen und Anna *an*gerufen

Vokabeln Kurz und gut

1 Hypothesen machen
Ich glaube, dass ...
Es kann sein, dass ...
Vielleicht ...

2 Jemanden beschreiben
blonde / dunkle / rote / braune Haare haben
kurze ≠ lange Haare haben
grüne / braune / graue / blaue Augen haben
alt ≠ jung sein
klein ≠ groß sein
schlank ≠ dick sein
1,60 Meter groß sein
50 Kilo schwer sein

komisch
krank
müde
begeistert
gestresst
motiviert
nervös

Endstation

Darüber spricht man in der Presse

Regionale und überregionale Tageszeitungen bieten Nachrichten an (z. B. die *Aachener Zeitung* oder die *Frankfurter Allgemeine Zeitung*). Das Wochenmagazin *Focus* bietet Analysen aus Politik und Kultur an. Aber die Boulevardpresse ist mit Artikeln über Mode, Promis, Katastrophen usw. auch sehr beliebt.

Kunstraub

Der Maler Caspar David Friedrich hat die „Nebelschwaden" um 1820 in Dresden gemalt. 9 Jahre nach dem Raub des Gemäldes* hängt es wieder in der Hamburger Kunsthalle. Das Museum musste aber dafür 250 000 Euro Lösegeld zahlen.

* le vol du tableau   28.8.2003

150 Jahre Entdeckung des Neandertalers

1856 haben Arbeiter im Neandertal bei Düsseldorf Skelettreste eines Urmenschen gefunden. Zum 150-jährigen Jubiläum organisiert das Museum für Archäologie in Herne eine Ausstellung. Der Neandertaler hat vor circa 42 000 Jahren gelebt. Er war 1,68 Meter groß und 50 Kilo schwer. Seine Augen und Haare waren braun.

13.3.2006

Derrick ist tot

Der Kult-Inspektor ist am Samstag mit 85 Jahren in München gestorben. Er hat in 281 Folgen gespielt. 24 Jahre lang lief die Krimiserie im Fernsehen. Ein Derrick-Fan berichtet:

„Ich habe die Nachricht heute im Radio gehört und bin sehr traurig. Ich habe alle Folgen als Kind gesehen."

18.12.2008

Megastars in Offenburg

Viele Stars wie Meg Ryan und Karl Lagerfeld waren am Donnerstag bei der Bambi-Verleihung in Offenburg. Die populäre deutsche Autorin Cornelia Funke hat den BAMBI 2008 in der Kategorie Kultur erhalten.

Aus einem Artikel vom 27.11.2008

Alles klar?

1. **Zu welcher Rubrik passt jeder Artikel?**
   Wissenschaft (*science*)? Sport? Unterhaltung (*divertissement*)? Kunst? Politik? Kultur?
2. **Such für jeden Artikel folgende Informationen:**
   Wann? Was? Wo? Wer?

Unser Projekt

Eine Kurznachricht schreiben

1. Such dir ein Thema aus und schreib eine Kurznachricht. Antworte auf die Fragen: Wann? Was? Wo? Wer?

2. Denk dir einen Titel aus.

3. Illustriere deinen Artikel mit einem Foto.

4. Präsentiere der Klasse deine Nachricht.

WEBSITES FÜR INFOS
http://www.tivi.de/fernsehen/logo/start/
http://www.lilipuz.de/nachrichten/

Jetzt kannst du's!

→ Cahier d'activités p. 83

1 Na, wie war's?

OBJECTIFS : Comprendre des actions passées, comprendre une description physique.

OUTILS : Le parfait, les adjectifs de description, les couleurs.

Une adolescente raconte à sa meilleure amie sa journée d'hier. Écoute leur dialogue. Es-tu capable de comprendre :

1. le déroulement de sa journée ? .. 60%

2. la description physique de Stefan ? 40%

MON SCORE

20%   40%   60%   80%   100%

→ Cahier d'activités p. 83

2 Haben Sie ein Alibi?

OBJECTIFS : Décrire une personne, raconter une action située dans le passé.

OUTILS : Les adjectifs de description, le parfait.

Herr Wiesel
1,62 m / 70 Kilo
- *bis 14 Uhr im Büro*
- *15 Uhr: Friseur*
- *Abendessen bei Freunden*

Regarde les notes du commissaire concernant deux suspects.
Es-tu capable :

1. d'établir leur portrait-robot ? 50%

2. de raconter leur journée d'hier ? .. 50%

Lars Riemann
1,84 m / 74 Kilo
- *10 Uhr: Tennis mit einem Freund*
- *Nachmittag: einkaufen*
- *Abend: Kino*

MON SCORE

20%   40%   60%   80%   100%

3 Mitfahrer/In gesucht

→ Cahier d'activités p. 84

OBJECTIF : Comprendre les temps d'un récit.
OUTILS : Les formes verbales au présent, au parfait et au prétérit (*sein* et *haben*), les compléments circonstanciels et certains adverbes de temps.

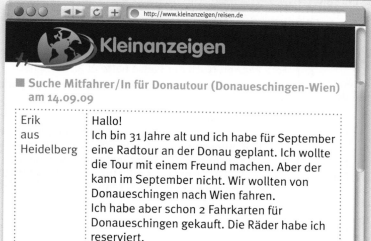

Kleinanzeigen
http://www.kleinanzeigen/reisen.de

■ **Suche Mitfahrer/In für Donautour (Donaueschingen-Wien) am 14.09.09**

| Erik aus Heidelberg | Hallo! Ich bin 31 Jahre alt und ich habe für September eine Radtour an der Donau geplant. Ich wollte die Tour mit einem Freund machen. Aber der kann im September nicht. Wir wollten von Donaueschingen nach Wien fahren. Ich habe aber schon 2 Fahrkarten für Donaueschingen gekauft. Die Räder habe ich reserviert. Wer hat Lust, mitzufahren? |

Lis le message suivant. Es-tu capable de comprendre :
1. quel était le projet d'Erik ?......... 30%
2. quel est le problème ?............. 20%
3. pourquoi il ne peut renoncer à son projet ?........................... 30%
4. la solution envisagée ?............ 20%

MON SCORE

20% 40% 60% 80% 100%

4 Du bist der Journalist

→ Cahier d'activités p. 84

OBJECTIF : Rédiger un bref article au passé.
OUTILS : Le parfait, le prétérit, la subordonnée avec *dass*.

Klasse 9c in Berlin vom 9.05. bis zum 12.05.09

- 2 Lehrer: Herr Brücke (Deutschlehrer), Frau Lang (Geschichtslehrerin)

Vor der Reise:
- Internetrecherchen über Berlin (Marco und Leo)
- Reiseplanung: Lehrer und 2 Schülerinnen (Jeliz, Anna)
- Hotelreservierung (Matthias und Jörg)

In Berlin:
- viele Sehenswürdigkeiten gesehen / super Wetter gehabt / eine Führung im Parlament gemacht
- Klassensprecherin: „Die Klasse hatte viel Spaß. Die Lehrer waren toll."
- Frau Lang: „Die Schüler konnten ein Stück Geschichte erleben."

Imagine que tu es journaliste pour un journal scolaire allemand. Rédige un article à partir des notes suivantes. Sais-tu :
1. écrire un article de quelques lignes avec un titre, une introduction et un récit ?............................. 20 %
2. écrire 3 phrases sur la préparation du voyage ?............................ 30%
3. écrire 3 phrases sur le séjour ? ... 30%
4. intégrer à ton article l'avis de 2 personnes sur le voyage ?......... 20%

MON SCORE

20% 40% 60% 80% 100%

Station 1 — Hast du Fabian gesehen?

Piste 17

Adrian: Adrian Seemann.

Frau Werner: Guten Tag, Adrian, hier ist Anna Werner, die Mutter von Fabian. Sag mal, ist Fabian bei dir?

Adrian: Guten Tag, Frau Werner. Nein, ich habe ihn seit heute morgen nicht gesehen.

Frau Werner: Bist du sicher?

Adrian: Ja. Frau Werner, was ist denn los? Warum sind Sie denn so nervös?

Frau Werner: Du, ich suche Fabian. Er ist immer noch nicht zu Hause und sein Handy ist aus. War er in der Schule?

Adrian: Ja, eigentlich schon ...

Frau Werner: Was hattet ihr heute morgen?

Adrian: In der ersten Stunde Mathe, dann Deutsch. Wir haben geprobt, wissen Sie, für das Theaterstück. Fabian war motiviert und total begeistert.

Frau Werner: Und dann?

Adrian: Dann hatten wir ... Moment ..., ja wir hatten dann die große Pause. Er hat die ganze Zeit mit Anja gesprochen, glaube ich. Er wollte mit ihr allein bleiben. Ich habe ihn eigentlich komisch gefunden.

Frau Werner: Komisch? Was meinst du?

Adrian: Ja, er war richtig im Stress. Vielleicht, weil wir dann nach der Pause eine Klassenarbeit in Englisch schreiben sollten.

Frau Werner: Nach der Pause hatte er also Englisch.

Adrian: Ja, aber im Englischunterricht war er nicht mehr da.

Frau Werner: Was ...?

Adrian: Ja, und seit der Pause habe ich ihn nicht mehr gesehen. Wir wollten am Nachmittag zusammen ins Kino gehen, aber er hat nicht mal angerufen, um zu sagen, dass er nicht konnte. Es tut mir leid Frau Werner, ich weiß nicht, wo er ist ... Ich kann Ihnen nicht helfen.

Frau Werner: Danke Adrian. Auf Wiederhören.

Station 3 — Und zu Hause bei Fabian?

Piste 18

Hi Mama! Hier ist Fabian. Ich hoffe, du hast dir keine Sorgen gemacht. Ich war den ganzen Nachmittag in Köln, ich habe bei einem Film-Casting mitgemacht und mich hab'n sie genommen! Ich werde im neuen Film von Kai Wessel mitspielen. Tschüs, Mama. Ich ruf' dich später noch mal an.

Je vais apprendre à...

 Écouter

Comprendre des indications sur les repas.
Comprendre des informations sur les voyages.
Comprendre des appréciations
et des sentiments.

 Lire

Comprendre des recettes simples.
Comprendre le programme d'un séjour
à l'étranger.

 Parler en continu

Comparer deux propositions.
Exprimer une préférence.
Dire où j'aimerais aller en vacances.

 Parler avec quelqu'un

• Donner son avis sur l'organisation
d'un événement.
• Parler de projets de voyage.

 Écrire

• Faire le bilan d'un projet.
• Structurer un récit.

Unser Projekt

 Organiser un week-end dans une ville
de langue allemande avec sa classe.

Station 1

Habt ihr eine bessere Idee?

1 — Endlich Sommerferien!

a. Schau dir das Bild an. Kommentiere es und formuliere Hypothesen.

b. Hör dir jetzt den Dialog an. Worüber sprechen Tim, Jonas, Antje und Karin? Warum?

c. Was bringt jeder zu essen und zu trinken mit? Warum?

➔ Cahier d'activités p. 85

Vokabeln

(das) Fleisch   (das) Obst

(das) Gemüse   die Nudeln

billig
einfach
gesund
lecker
lustig
traurig

Sprechtraining

■ [ŋ] ou [ŋk]

➔ Cahier d'activités p. 86

2 Zwei Rezepte

Vergleich die beiden Rezepte.

BEISPIEL: ... ist billiger als ...

 Cahier d'activités p. 86

Grillsalat

Zutaten
- 1 rote Paprika
- 1 gelbe Paprika
- 1 Zwiebel
- 1 Dose Mais

Für die Soße
- 1 Zitrone
- Pfeffer
- Salz

Das Gemüse klein schneiden und mischen. Die Soße kurz vor dem Servieren beigeben.

Zubereitungszeit: 15 Minuten

Kartoffelsalat

Zutaten
- 8 Kartoffeln
- 4 Eier
- 150 Gramm Mayonnaise
- 2 Zwiebeln
- 100 Gramm Gewürzgurken
- Essig
- Salz
- Pfeffer

Kartoffeln und Eier separat kochen. Gekochte Kartoffeln in Scheiben schneiden. Zwiebeln, gekochte Eier und Gewürzgurken klein schneiden. Für die Soße Mayonnaise und Essig mixen.

Zubereitungszeit: 55 Minuten

Hier und dort

fett	fat
kochen	cook
mischen	mix
Öl	oil
Pfeffer	pepper
Salz	salt

Vokabeln

(der) Essig   *le vinaigre*

die Paprika (s)   die Zwiebel (n)   die Scheibe (n)

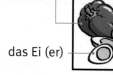

das Ei (er)

die Gewürzgurke (n)   schneiden

Zwischenstation

■ **Wir organisieren eine Party**

Ihr wollt eine Party organisieren.

a. Wo wollt ihr euch treffen?
Was wollt ihr essen und trinken?
Was für Musik wollt ihr mitbringen?

b. Wählt die bessere Idee aus und sagt warum.

Cahier d'activités p. 86

Ich kann's

- Je comprends des indications relatives aux repas.
- Je sais parler des boissons et des aliments.
- Je sais comparer deux propositions.
- Je sais donner un avis sur l'organisation d'une fête.

Wie war's?

1 Schüleraustausch

Lies den Artikel aus dem Jahrbuch von einer Schule in Deutschland.

a. Wo waren die Schüler? Wann?

b. Was haben sie dort gemacht?

c. Wie haben sie den Austausch gefunden?

➡ Cahier d'activités p. 88

Austausch mit Chelles

Unser Austausch mit Chelles war ein Erfolg, denn allen Schülern hat die Reise gut gefallen.

Freitag, 11. April

Nach sieben Stunden Fahrt waren wir sehr froh, aber auch gespannt.

Samstag, 12. April

Die Deutschlehrerin des *Collège* hat von 10 bis 12 Uhr eine Animation mit Spielen organisiert. So haben wir die Franzosen besser kennen gelernt. Den Nachmittag haben wir in den Familien verbracht.

Montag, 14. April

Unser 1. Tag in Paris! Wir waren natürlich auf dem Eiffelturm.

Dienstag, 15. April

Heute haben wir in der Schulkantine gegessen. Am Nachmittag sind wir mit den Franzosen zum Kajakclub gefahren. Das war lustig! Am Abend haben wir eine Party bei einem Schüler gemacht.

Mittwoch, 16. April

Wir waren zuerst im Unterricht. Dann haben wir an unserem Film-Projekt gearbeitet.

Donnerstag, 17. April

Das Wetter war schön. Wir haben gepicknickt. Unsere Video-Interviews waren super, und das Bowling am Abend war nett.

Freitag, 18. April

Schade, dass wir nicht länger bleiben können! Aber nicht traurig sein! Die Franzosen kommen ja bald!

Die Schüler der 9b

Vokabeln

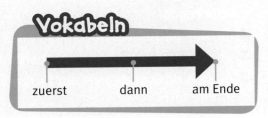

zuerst   dann   am Ende

Sprechtraining

- [b] ou [p], [d] ou [t], [g] ou [k]

➡ Cahier d'activités p. 89

2 Jahreschronik

Was ist in diesem Jahr im Goethe-Gymnasium geschehen?

Gruppe 1 stellt Gruppe 2 Fragen.
Gruppe 2: Seite 115.

> **BEISPIEL:** Am 20. Dezember haben die Schüler ein Weihnachtskonzert gegeben.

Vokabeln

an einem Wettbewerb *teil*nehmen
(hat ... *teil*genommen)

23.11.	D... „Klima und Energie" für die 9. Klassen
..12.	Winterparty für die 6. Klassen
20.12.	Weihnachtskonzert
20.2.	Tag der offenen Tür – K...t im Musiksaal
5.3.	Theateraufführung der English Drama Group „Fighting Hamlet"
30.4.	Autorenlesung mit Gabriele Beyerlein für die 8. Klassen in der Bibliothek
	Teilnahme der 7. Klassen am Englisch-Wettbewerb „Big Challenge"
5.6.	Vernissage zur Ausstellung der Kunst-AG
11.6.-18.6.	Austauschschüler aus Istanbul (Türkei) in Lindau (Besuch des Zeppelin-Museums, Ausflug nach München...)
23.7.-25.7.	Pr...age zum Thema „Unsere Schule"

3 Klassenfahrten

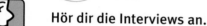

Hör dir die Interviews an.

a. Wo waren die Schüler?

b. Wie haben sie die Klassenfahrt gefunden?

> ➔ Cahier d'activités p. 89

Klassenfahrt nach Bayern

Wintersportwoche in Österreich

Klassenfahrt nach Paris

Zwischenstation

■ **Mein Schuljahr**

Schreib einen Bericht für die deutsche Seite der Schülerzeitung.

a. Was ist in diesem Jahr in deiner Schule geschehen?

b. Wie hast du das Jahr gefunden?

Ich kann's

➷ Je comprends des appréciations et des sentiments formulés simplement.

➷ Je sais faire le bilan d'une année.

➷ Je sais structurer un court récit.

Station 3

Wohin jetzt?

1 Wohin geht die nächste Ferienreise?

Piste 20

a. Schau dir die Webseite an. Wo kann man Ferien machen?

b. Die Familie Schumann diskutiert über die nächste Ferienreise. Hör dir den Dialog an.

- Wohin möchten die Eltern fahren? Warum?
- Wohin würden Anke und Christian lieber fahren? Warum?
- Wohin geht im Endeffekt die nächste Ferienreise?

➔ Cahier d'activités p. 91

http://www.reiseweb.de

REISEWEB

Suchen & Buchen

Wohin möchten Sie reisen?

alle Länder ▼

alle Regionen ▼

Wann möchten Sie reisen?

Anreise

Abreise

Wer macht Urlaub?

Erwachsene 1 ◆   Kinder 1 ◆

suchen

Reiseweb Spezials für Familien
Preisreduzierte Reiseangebote

URLAUB AUF DEM BAUERNHOF IM ALLGÄU

Ab **76 EUR** für 4 Personen

Fahren Sie nach Bayern ins Allgäu und verbringen Sie dort schöne Tage mit der Familie.

▸ reservieren

SPANIEN – IBIZA ENTDECKEN

1 Woche pro Person
ab **424 EUR** All inclusive

Ibiza ist nicht groß, aber Strände gibt es genug!

▸ reservieren

Vokabeln

segeln	*faire de la voile*
tauchen	*faire de la plongée*
wandern	*faire de la randonnée*

Sprechtraining

■ [an] ou [aŋ]

➔ Cahier d'activités p. 92

Classe

2 Reiseprospekte

a. Bildet zwei Gruppen. Jede Gruppe liest einen Prospekt.

b. Was könnt ihr in der Türkei / in Namibia machen? Jede Gruppe informiert die andere über ihren Prospekt.

> **BEISPIEL:** Gruppe 1: In der Türkei kann man sich am Strand sonnen.

c. Würdest du lieber in die Türkei oder nach Namibia fahren? Warum?

Reisen in die Türkei
Die türkische Riviera

Wellness Schöne Hamams, paradiesische Strände, Sonne und blaues Meer

Kultur Antike und Moderne auf einmal (Ruinen des antiken Termemoss, Überreste der antiken Agora...)

Aktivitäten Eine Disco-Meile und alle erdenklichen Sportaktivitäten (Segeln, Rafting, Tauchen, Wasserski, Windsurfen, Beachvolleyball) und, und, und…

Genuss Leckere Fischgerichte, der weltbekannte Mocca

Namibia
Urlaub in Afrika

Aktivitäten

Kultur

Eine Besichtigung der Diamantenstadt Kolmanskop ist zu planen. Die Christuskirche und den Tintenpalast in Windhoek sollten Sie nicht verpassen.

Eine Safari im Etoscha-Nationalpark ist ein Muss! Es gibt viele Tiere wie Löwen und Giraffen zu sehen. Ein reiches Sportangebot gibt es auch wie z. B. Kanu fahren, Wasserski, Golf und Reiten.

3 Im Reisebüro

Hör dir die Dialoge an.

a. Wohin reisen die Leute?

b. Wohin würden die Leute gern reisen?

➔ Cahier d'activités p. 92

Zwischenstation

■ **Meine Ferienwünsche**

a. Wohin würdest du gern in den Sommerferien reisen? Warum? Mach dir Notizen.

b. Du gehst ins Reisebüro und sagst dem Angestellten, was du möchtest. Spielt den Dialog zu zweit.

➔ Cahier d'activités p. 92

Ich kann's

◝ Je comprends un avis sur une destination de voyage.

◝ Je sais exprimer la préférence.

◝ Je sais dire où j'aimerais aller en vacances et pourquoi.

Sprache aktiv

→ Cahier d'activités p. 87

Station 1

1 Le comparatif de supériorité

• On forme le comparatif de supériorité en ajoutant -*er* à l'adjectif.
Kartoffelsalat ist einfach, aber Nudelsalat ist noch einfach**er**.

• Certains adjectifs prennent également l'inflexion.
Der Hobbyraum ist groß, aber der Garten ist noch grö**ß**er.

De même : *alt* et *jung*, *lang* et *kurz*, *warm* et *kalt* ainsi que *gesund*.

⚠ Attention !
teuer – **teurer**
gut – **besser** (anglais *good* / *better*)

2 La comparaison avec *als*

Pour comparer deux choses ou deux personnes, on utilise *als*.
Tim ist größer **als** Antje.

1 Complète les phrases en mettant l'adjectif souligné au comparatif de supériorité.

a. Im Hobbyraum ist es <u>lustig</u>, aber im Garten ist es noch ... .
b. Grillfleisch ist <u>billig</u>, aber Würstchen sind noch ... .
c. Kartoffelsalat schmeckt <u>gut</u>, aber Nudelsalat schmeckt noch ... .
d. Eis ist nicht so <u>gesund</u>. Obstsalat ist ... .

2 Forme une phrase pour comparer les éléments donnés.

a. Jan: 14. Tina: 18. (alt)
b. Das T-Shirt: 10 €. Die Jeans: 35 €. (teuer)
c. Cola – Orangensaft. (gesund)
d. Laura: 1,55m. Stefan: 1,80m. (groß)
e. Deutschland: 2°C. Spanien: 15°C. (warm)

→ Cahier d'activités p. 90
→ Mémento grammatical p. 127

Station 2

1 Les conjonctions de coordination

• Une conjonction de coordination ne compte pas comme premier élément dans la phrase.
Es hat geregnet, **aber** die Reise war super.
            0   1   2

• Les principales conjonctions de coordination sont : *und* (et), *oder* (ou), *aber* (mais), *denn* (car).

2 Les compléments de temps

On peut situer des événements dans le temps à l'aide de groupes prépositionnels.

im Jahre 2009 année	**um** 17 Uhr heure
am Freitag jour	**von** 17.30 **bis** 19.00 deux horaires
am Nachmittag moment de la journée	**vom** 17. **bis zum** 18. April deux dates

3 Complète par *aber, oder, denn* ou *und*.

a. Die Schüler haben die deutsche Gruppe abgeholt ... sind dann zur Schule gefahren.
b. Wir möchten mit den deutschen Schülern am Projekt arbeiten, ... wir sprechen Französisch.
c. Ich möchte gern eine Pizza ... ein Eis essen.
d. Das Kajakfahren war super, ... das Wetter war gut.

4 Complète dans les énoncés suivants les groupes prépositionnels.

a. In Berlin haben die Schüler ... 15.7. ... 28.8. Sommerferien.
b. ... Jahre 2012 wird mein Opa 70.
c. Sie haben ... 10 Uhr bis 10.30 Uhr eine Pause gemacht.
d. ... Sonntagvormittag sind wir ins Kino gegangen.
e. Wir treffen uns ... 8.30 vor der Schule.
f. Du kannst mich ... 23 Uhr anrufen. Danach gehe ich ins Bett.

Station **3**

→ Cahier d'activités p. 93
→ *Mémento grammatical p. 127 et 128*

1 Le locatif et le directif (noms géographiques)

• Généralement, les noms géographiques n'ont pas de déterminant. L'opposition locatif / directif est marquée par le choix de la préposition.
Locatif : Ich bin **in** Spanien.
Directif : Ich fahre **nach** Spanien.

• Certains noms prennent néanmoins un déterminant. *die Schweiz, die Türkei, das Allgäu, die USA …*
L'opposition locatif / directif est alors marquée par l'emploi de la préposition *in* au datif ou à l'accusatif.
Locatif : Ich bin **im** Allgäu.
Directif : Ich fahre **ins** Allgäu.

2 Exprimer un souhait au conditionnel

Ich **möchte** nach Afrika **reisen**.
Ich **würde gern** nach Afrika **reisen**.

ich würde**Ø**	wir würde**n**
du würde**st**	ihr würde**t**
er / sie würde**Ø**	sie / Sie würde**n**

5 Complète les groupes prépositionnels dans les énoncés suivants. Vérifie bien avant si le nom géographique fonctionne avec ou sans déterminant.

a. Wann fliegt ihr … Spanien?
b. Sie bleiben eine Woche … Allgäu.
c. Wohin fahren Sie? … die Bretagne oder … Toulouse?
d. Ich würde gern … Indien reisen.
e. Wir sind zur Zeit … Tunesien und sonnen uns am Strand.
f. Er würde lieber … Lateinamerika reisen, … Chile zum Beispiel.
g. In den Ferien wollen wir diesmal … Dänemark.

6 Construis des phrases avec les éléments suivants pour exprimer un souhait.

a. wir / Rafting betreiben
b. die Kinder / am Strand spielen
c. du / wieder nach Deutschland fahren?
d. mein Cousin / zu seinem Geburtstag eine Party organisieren
e. ich / Urlaub in Marokko machen
f. ihr / die Ausstellung über C.D. Friedrich besuchen?

Vokabeln
Kurz und gut

1 Nahrungsmittel
das Fleisch
das Würstchen (-)
die Kartoffel (n)
die Nudel (n)
der Pfirsich (e)
die Erdbeere (n)
gut schmecken
gesund sein
kochen
grillen

2 Im Schuljahr
der Schüleraustausch
die Klassenfahrt (en)
an einem Projekt arbeiten
ein Konzert geben

3 Wie war's?
froh sein
gespannt sein
lustig sein
nett sein
anstrengend sein
traurig sein
ein Erfolg sein
(keinen) Spaß machen
jemandem gefallen
langweilig finden

4 In den Ferien
der Urlaub
reisen
nach Afrika fliegen
eine Woche in Kenia verbringen
wandern
Ski laufen
im Meer baden
sich am Strand sonnen
eine Stadt besichtigen
jemanden kennen lernen

5 Wohin?
Afrika
Frankreich
Spanien
Deutschland
Österreich

die Schweiz
die Türkei
die USA

Endstation

Berlin, Berlin, wir fahren nach Berlin!

Berlin ist seit 1990 wieder die Hauptstadt der Bundesrepublik Deutschland. Hier ein paar Tipps, was man in Berlin machen kann. Was möchtest du sehen? Wo würdest du schlafen? Was möchtest du gern essen?

Willst du shoppen gehen?
Eine Alternative für Mode-Freaks ist bei schlechtem Wetter das KaDeWe, das Kaufhaus des Westens. Du kannst auch einen Bummel Unter den Linden machen oder auf dem Ku-Damm flanieren.

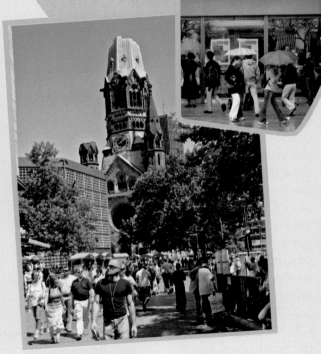

Möchtest du Berlin sehen?
Der Alexanderplatz ist der bekannteste Platz Berlins. Der Fernsehturm ist 368 Meter hoch. Bei schönem Wetter hat man von oben einen tollen Blick auf ganz Berlin.
Das Brandenburger Tor ist Berlins Wahrzeichen*. Es war früher direkt an der Berliner Mauer. Ein Muss!

*le symbole

Lust auf was zu essen?

Fast an jeder Ecke findet man einen Imbiss, der Döner mit Salat anbietet. Das kostet nur 3 Euro!
Eine gute Adresse ist das Telecafé im Berliner Fernsehturm in 207 m Höhe. Preise von 3 Euro (kleiner Salatteller oder Obstsalat) bis 18 Euro (Fisch-oder Fleischgerichte).

Hotel oder Jugendherberge?

Die internationale Jugendherberge ist mitten im Zentrum.
Hier ist viel los! Preise ab 15 Euro.
Direkt am legendären Alexanderplatz findet man moderne Hotels mit Internetzugang.
Preise ab 63 Euro.

Alles klar?

1. Nenne zwei Symbole von Berlin.
2. Seit wann ist Berlin wieder die Bundeshauptstadt?
3. Wo kannst du in Berlin shoppen gehen?

Unser Projekt

Ein Wochenende organisieren

1. Wohin würdet ihr gern fahren? Wählt in der Klasse eine Stadt (Wien, Köln, Hamburg ...).

2. Bildet zwei Gruppen. Sammelt Informationen: Was möchtet ihr dort machen? Was würdet ihr gern essen? Wo möchtet ihr schlafen?

3. Präsentiert euer Projekt. Die Klasse wählt dann das bessere Projekt!

WEBSITES FÜR INFOS
http://www.vienna.info/
http://www.koelntourismus.de
http://www.hamburg.de/touristeninformation/

Jetzt kannst du's!

→ Cahier d'activités p. 95

1 Wie war die Klassenfahrt nach Istanbul?

OBJECTIF : Comprendre comment un séjour s'est déroulé.
OUTILS : Le lexique des activités, des appréciations et des sentiments, le parfait.

Un groupe d'élèves allemands revient d'un échange avec une école en Turquie. Kyra raconte à sa mère comment cela s'est passé. Écoute et repère les informations suivantes :

1. le programme du séjour. 40%

2. les impressions positives des participants sur le séjour. 30%

3. les impressions négatives des participants sur le séjour. 30%

MON SCORE

20%   40%   60%   80%   100%

→ Cahier d'activités p. 95

2 Was würdest du lieber essen?

OBJECTIFS : Présenter des menus simples et les comparer.
OUTILS : Le lexique des aliments, le comparatif, la préférence.

Menü 1
10,80 €

Nudel-Brokkoligratin
oder
Ofenkartoffel und
kleiner Salatteller

Orangensaft
oder
Apfelschorle

Obstsalat

Menü 2
12,30 €

Currywurst mit
pikanter Soße
oder
Berliner Kartoffelsuppe
mit Würstchen

Cola
oder
Limonade

Vanille- und Erdbeereis

Lis attentivement les deux menus qui te sont proposés. Es-tu capable de :

1. décrire le menu 1 ? 20%

2. décrire le menu 2 ? 20%

3. comparer leur composition ? 20%

4. comparer leur prix ? 20%

5. dire celui que tu choisirais ? 20%

MON SCORE

20%   40%   60%   80%   100%

→ Cahier d'activités p. 96

3 Vom Reisebüro Red

Objectifs : Comprendre des destinations de voyage et des activités à faire sur place.
Outils : Les noms de pays, le lexique des activités, le directif.

Reisebüro Red
Emil-von-Behring Str. 83
60439 Frankfurt
Tel.: 0180-23 42 034

Frankfurt, 14.10.2009

Herrn C. Wolf
Karlstr. 72
63065 Offenbach

Sehr geehrter Herr Wolf,

anbei finden Sie unseren Katalog „Red Lateinamerika 2010". Wenn Sie in ein faszinierendes Land reisen möchten, sollten Sie nach Brasilien fliegen. Dort können Sie den legendären Karneval erleben, historische Städte besuchen und viele Tiere sehen. Chile könnte Sie auch interessieren. Sie möchten lieber an idyllischen Stränden entspannen und Tango lernen? Wir helfen Ihnen gern, Ihre Reise nach Argentinien zu organisieren.

Mit freundlichen Grüßen
Martina Fuchs (Reisebüro Red)

M. Wolf a contacté une agence de voyage. Lis la lettre qu'il a reçue et indique :
1. dans quels pays l'agence lui suggère de voyager. 30%
2. quelles activités sont proposées. 70%

MON SCORE

20%　40%　60%　80%　100%

→ Cahier d'activités p. 96

4 Was wollt ihr Sonntag machen?

Objectifs : Savoir exprimer un choix, une préférence et justifier.
Outils : Le lexique des activités, le comparatif, la justification.

Hallo zusammen!
Hier sind unsere Ideen für den 14. Juni! Was würdet ihr gern machen?
Vormittag: Kurze Bergtour oder Spaziergang im Wald oder Besuch des neuen Olympiastadions?
Mittagessen: Picknick oder Tagesmenü in einem kleinen Restaurant?
Nachmittag: Moutainbike-Tour (22 km) oder Rafting in der Loisach (35 Euro!) oder Ausflug nach Oberammergau (sehr schöne Häuser)?
Abend: Open-Air-Theateraufführung oder Discoparty im Jugendklub oder Grillparty?
Bitte schnell antworten!

Alex und Lisa

Lis attentivement les propositions qui te sont faites pour organiser un dimanche avec tes amis, puis rédige une courte réponse pour indiquer tes préférences. Sais-tu :
1. dire quelle activité tu préfères pour chaque moment de la journée ? 40%
2. justifier tes choix ? .... 40 %
3. dire quelle suggestion tu préfères pour le déjeuner et pourquoi ?....... 20%

MON SCORE

20%　40%　60%　80%　100%

Skript

 **Station 1** **Endlich Sommerferien!**

Piste 19

Tim: Bald sind Sommerferien, das muss man feiern – aber wo?

Jonas: In unserem Hobbyraum! Oder habt ihr eine bessere Idee?

Tim: Ich finde, im Sommer ist es draußen lustiger.

Antje: Na, dann feiern wir hier im Garten. Der ist größer – und wir können grillen!

Tim: Gut, wer bringt was mit?

Jonas: Ich bring' das Grillfleisch mit.

Antje: Würstchen sind billiger als Grillfleisch!

Tim: (notiert) Jonas … Würstchen.

Antje: Ich mache einen Nudelsalat.

Tim: Ich finde, Kartoffelsalat passt besser zu den Würstchen.

Antje: Nudelsalat ist einfacher und macht weniger Arbeit. Aber gut, ich mache beide Salate.

Jonas: Und dann noch Eis?

Antje: Nein, Obstsalat, das ist gesünder!

Jonas: Die Dame will schlank bleiben.

Tim: Meine Mama macht den Obstsalat. Der ist lecker! Und ich bringe die Getränke mit: Cola, Apfelsaft.

Karin: Und ich die Chips und einen super Cocktail – ohne Alkohol. Ich habe da ein Rezept: Pfirsichsaft, Erdbeeren, Mineralwasser …

Jonas: Ach, du sagst endlich auch etwas. Was ist los? Du siehst gar nicht fröhlich aus!

Karin: Das ist, weil …, weil die Theater-AG zu Ende ist. Ich hab' so gern gespielt.

Antje: Und du warst wirklich toll! Aber sei nicht traurig: Nächstes Jahr geht es weiter!

Station 3 **Wohin geht die nächste Ferienreise?**

Piste 20

Vater: Also Kinder, wir müssen diskutieren: Wohin geht die nächste Ferienreise?

Mutter: Ich möchte gern ins Allgäu fahren. Ich habe da einen Prospekt: „Ferien auf dem Bauernhof".

Anke: Ins Allgäu? Da regnet es doch immer! Meine Freundin Angela fährt mit ihren Eltern nach Spanien, nach Ibiza. Da scheint immer die Sonne! Das ist bestimmt viel lustiger!

Christian: Vierzehn Tage am Strand? Nein danke, das ist mir zu langweilig. Ich würde lieber nach Afrika fliegen und dort eine Safari machen!

Vater: Safari? Du spinnst wohl! Das ist viel zu teuer. Tiere kannst du auf dem Bauernhof sehen, und die Ferien dort sind viel billiger.

Mutter: Also Anke, ich weiß nicht, den ganzen Tag in der Sonne liegen … Du wanderst doch gern. Das ist viel gesünder!

Anke: Aber am Strand kann man andere Jungen und Mädchen treffen, zusammen Beach-Volley spielen, im Meer baden, diskutieren …

Mutter: Ich habe eine Idee. Neben dem Bauernhof ist ein Reiterhof, da könnt ihr mit anderen Jugendlichen reiten lernen!

Anke: Ja, das würde ich gern machen.

Vater: Und du, Christian? Es ist besser, wenn alle einverstanden sind!

Christian: Na gut, auf ins Allgäu. Aber wenn ich groß bin, reise ich nach Afrika!

Wechselspiele

2 **Wer ist das?**

Gruppe 2 stellt Gruppe 1 Fragen
über die vier Personen.

BEISPIEL: Wo wohnt
die Person B?

Person	A	B	C	D
Name	????	Stefan	??	Sven
Wohnort	??	??	Lindau	Flensburg
Alter	?	14	15	??
Aktivität	Musik hören	?	????	Handball spielen

3 **Hausaufgaben**

Was müssen wir für ... machen?

Montag 29. November

Dienstag 30. November
Geschichte: Kommentar zu Ende schreiben
Sozialkunde: Fragen über Statistik beantworten

Mittwoch 1. Dezember
Franz.: Internetsuche über Maupassant.

2 **Jahreschronik**

Was ist in diesem Jahr im Goethe-
Gymnasium geschehen?

Gruppe 2 stellt Gruppe 1 Fragen.

BEISPIEL: Am 20. Februar
haben die Schüler ein Konzert
im Musiksaal gegeben.

23.11.	Film „Klima und Energie" für die 9. Klassen
14.12.	Winterparty für die 6. Klassen
20.12.	Weihnachtsk...
20.2.	Tag der offenen Tür – Konzert im Musiksaal
5...	Theateraufführung der English Drama Group „Fighting Hamlet"
30.4.	Aut...ung mit Gabriele Beyerlein für die 8. Klassen in der Bibliothek
6.5.	Teilnahme der 7. Klassen am Englisch-Wettbewerb „Big Challenge"
5.6.	Ver...e zur Ausstellung der Kunst-AG
...6.-18.6.	Austauschschüler aus Istanbul (Türkei) in Lindau (Besuch des Zeppelin-Museums, Ausflug nach München...)
23.7.-25.7.	Projekttage zum Thema „Unsere Schule"

Feiertage und Feste

Frohe Weihnachten!

Die Weihnachtszeit ist eine aktive Zeit in der Familie. Das Haus und den Weihnachtsbaum dekorieren, auf den Weihnachtsmarkt gehen, backen, Weihnachtslieder hören und singen, das alles gehört zu der Tradition.

Wie heißt die Zeit vom 1. bis zum 24. Dezember?

Wer kommt am 6. Dezember?

Was brauchst du für das Rezept der Zimtplätzchen?

Was kann man auf dem Weihnachtsmarkt essen?

Was kann man auf dem Weihnachtsmarkt trinken?

Was gibt der Nikolaus braven Kindern?

Ein Adventskalender

Im Advent (vom 1. bis zum 24. Dezember) ist überall Weihnachtsmarkt. An den vielen traditionellen Verkaufsständen kann man einen Glühwein oder einen heißen Apfelsaft trinken und viele Leckereien kaufen: Plätzchen, Lebkuchen, Schokoladenfiguren, heiße Maronen, Wurst und Ofenkartoffeln... Auf dem Weihnachtsmarkt findet man auch Baumdekorationen und viele Geschenkideen.

Ein Weihnachtsmarkt

Nikolaus

Am 6. Dezember kommt der Nikolaus und gibt braven Kindern Geschenke und Bonbons.

Zimtplätzchen

Zutaten:
- 125 g gemahlene Mandeln
- 125 g weiche Butter
- 125 g Puderzucker
- 1 Päckchen Vanillezucker
- 2 Teelöffel Zimt
- 1 Prise Salz
- 2 Eier
- 300 g Mehl

Zubereitung:
1. Alle Zutaten zu einem Teig[1] verarbeiten.
2. Den Teig 60 Minuten kühl stellen.
3. Den Teig 5 mm dick ausrollen[2] und mit Förmchen ausstechen[3].
4. Die Plätzchen im Backofen bei 200 Grad 10 Minuten backen[4].

1. pâte 2. étaler 3. découper 4. faire cuire au four

Unser Projekt

Einen Adventskalender für die Klasse basteln

1. Zeichnet einen Baum mit 24 Fensterchen (oder findet eine andere originelle Form).

2. Sucht 24 Fragen über Vokabeln, Konjugation, Kultur ...

3. Schreibt eine Frage hinter jedes Fensterchen.

4. Macht jeden Tag im Dezember ein Fensterchen auf und antwortet auf die Fragen.

Feiertage und Feste

Karneval, Fasching oder Fastnacht?

Karneval feiert man in vielen Regionen in Deutschland wie zum Beispiel im Rheinland. Aber dieses Fest spielt auch in der Schweiz und in Österreich eine Rolle. Nur hat der Karneval dort einen anderen Namen und andere Traditionen.

BUNDESREPUBLIK DEUTSCHLAND

• Köln

• Mainz

• München

ÖSTERREICH

Basel

• Fiss

SCHWEIZ

Rosenmontag in Mainz und in Köln

Die Karnevalszeit beginnt offiziell am 11.11. um 11 Uhr 11 und endet am Faschingsdienstag. Am Rosenmontag kommen viele Leute nach Köln oder nach Mainz und schauen sich dort den großen Rosenmontagszug an. Viele Karnevalisten verkleiden sich als Gardeoffiziere und als Clowns. In Köln rufen alle an diesen Tagen der Euphorie „alaaf!". In Mainz hört man in den Straßen „hellau!".

Donnerstag	Sonntag	Montag	Dienstag	Mittwoch
der schmutzige Donnerstag, der Weiberfasching, die Weiberfastnacht	der Tulpensonntag	der Rosenmontag	der Fastnachtsdienstag, der Faschingsdienstag	der Aschermittwoch

Zum Karneval sagt man in München Fasching. In der Faschingszeit kann man Faschingskrapfen essen. Man kann auch auf einen Ball gehen. Am Weiberfasching am Donnerstag dürfen die Frauen den Männern die Krawatte abschneiden.

Weiberfasching in München

In Fiss in Tirol feiert man nur alle vier Jahre Fastnacht. Das nächste Blochziehen findet also im Jahre 2010 statt. Am Tag des Fests ziehen Männer einen Baum, den Bloch, durch die Straßen. Andere Männer tragen Glocken und machen Lärm damit.

„Die drey scheenschten Dääg" in Basel

Die Basler Fastnacht heißt auch „die drey scheenschten Dääg" (die drei schönsten Tage), weil sie exakt 72 Stunden dauert. In Basel trägt jeder Fastnachtler ein Kostüm mit einer „Larve" (Maske). Während der Cortèges spielen Cliquen Tambour und Flöte. Die Wagencliquen zeigen ihre dekorierten Wagen und werfen „Räppli" (Konfetti) und Bonbons. An diesen Tagen essen die Leute traditionell Mehlsuppe.

Blochziehen in Fiss

Unser Projekt

Ein Memory-Spiel über Karneval basteln

1. Lest die vier Texte über Karneval. Findet jedesmal zwei Informationen zu folgenden Themen heraus: Karnevalsmetropolen – Namen zum Karneval – wichtige Tage in der Karnevalszeit – Daten und Uhrzeiten – Verkleidung – Karnevalsrufe – Spezialitäten – Wurfmaterial – Festivitäten – eine typische Aktivität für Frauen und eine typische Aktivität für Männer.

2. Schreibt diese Informationen auf Karten.

3. Spielt jetzt Memory.

Feiertage und Feste

START

1 Geh zwei Felder vor.

2 Wer bringt zu Ostern die Ostereier?

3 Wer hat „An der schönen blauen Donau" komponiert?

4 Wann beginnt die Karnevalszeit?

5 Geh zwei Felder zurück.

29 Geh ein Feld zurück.

28 Wann feiert man den Tag der Deutschen Einheit?

27 Wann ist der Schweizer Nationalfeiertag?

26 Geh zwei Felder zurück.

25 Was machen die Sternsinger am Dreikönigstag?

30 Würfle noch mal.

31 Was machen Frauen am Weiberfasching?

Gänsespiel

24 An Ostern bemalen Kinder E _ _ R.

23 Geh ein Feld zurück.

32 Setz eine Runde aus.

Spielregeln:
Bildet 2 oder 3 Gruppen. Jede Gruppe bekommt einen Stein. Ein Spieler würfelt. Wenn seine Antwort auf die Frage richtig ist, rückt er seinen Stein vor. Sonst bleibt er stehen. Wer als erster ans Ziel kommt, hat gewonnen.

22 Nenne drei deutschsprachige Städte, wo man Karneval feiert.

33 Was singen Kinder am Martinstag?

34 Geh zwei Felder vor.

Neujahrskonzert

Sehr populär in Österreich ist das Neujahrskonzert in Wien am 1. Januar. Das Orchester spielt berühmte Walzer von Johann Strauß wie zum Beispiel „An der schönen blauen Donau".

35 Würfle noch mal.

36 Was basteln Kinder für den Martinstag?

37 Was kann man auf dem Weihnachtsmarkt essen?

38 Wer bringt im Dezember braven Kindern Geschenke?

Dreikönigstag ... Kinder helfen Kindern

Im Januar verkleiden sich Kinder als die Heiligen Drei Könige (Caspar, Melchior und Balthasar). Die Sternsinger gehen von Haus zu Haus, singen Lieder und sammeln Geld für arme Kinder.

Osterbaum

Ostern ist in Deutschland ein Familienfest. Die Kinder dekorieren das Haus, bemalen Ostereier und basteln einen Osterbaum. Der Osterhase versteckt am Morgen des Ostersonntags Ostereier im Haus oder im Garten.

ZIEL

Martinstag (Sankt Martin)

Am 11. November feiert man in Deutschland Martinstag. Die Kinder basteln Laternen und am Abend gehen sie durch die Stadt mit den Laternen in den Händen und singen:
„Laterne, Laterne,
Sonne, Mond und Sterne.
Brenne auf, mein Licht, brenne auf, mein Licht,
aber nur meine liebe Laterne nicht!"

6 Wann ist Martinstag?

7 Würfle noch mal.

8 Nenne ein Synonym für Karneval.

9 Geh zwei Felder vor.

10 Wie heißt die Zeit vom 1. bis zum 24. Dezember?

11 Welche Musik hört man auf der Loveparade?

12 Wann endet die Karnevalszeit?

13 Wie heißen die Heiligen Drei Könige?

14 Für Ostern basteln die Kinder einen O _ _ _ _ _ _ M.

15 Geh zwei Felder vor.

16 Was feiert man in Deutschland am 3. Oktober?

17 Wo kann man Maibäume sehen?

18 Geh zwei Felder zurück.

19 Geh zwei Felder vor.

20 Was kann man auf dem Weihnachtsmarkt trinken?

21 Setz eine Runde aus.

Tag der Deutschen Einheit

Seit 1990 ist der 3. Oktober deutscher Nationalfeiertag. An diesem Tag feiert man die Vereinigung von der Bundesrepublik Deutschland (BRD) und der Deutschen Demokratischen Republik (DDR).

Maibaum

Am 1. Mai dekoriert man in Süddeutschland und in Österreich Maibäume. Dann beginnt ein großes Fest, das bis spät in die Nacht dauert.

Die Loveparade für Elektro-Fans

DJs aus der ganzen Welt mixen alle Styles der Elektro-Tanzmusik. Mit etwa 12 Millionen Besuchern seit 1989 ist sie die größte Technoparade der Welt. Sie fand zum ersten Mal in Berlin statt.

Nationalfeiertag in der Schweiz

Am 1. August feiert die Schweiz ihren Nationalfeiertag. Dieser Tag geht auf den 1. August 1291 zurück: Damals schlossen sich die drei Urkantone Uri, Schwyz und Unterwalden im Ewigen Bund zusammen, weil sie stärker sein wollten.

Mémento grammatical

1 La structure de base de l'allemand

La structure de base de l'allemand fonctionne à l'inverse du français : l'élément le plus important se trouve en dernière position et l'élément qui le détermine vient se placer à sa gauche. Cette structure, fondamentale en allemand, se retrouve dans le groupe infinitif, la proposition subordonnée, les noms composés, les nombres et l'expression de l'heure.

→ *nach Berlin* **fahren**
   aller à Berlin

1 Le groupe infinitif

Le verbe à l'infinitif (le noyau du groupe) porte l'information principale et se trouve donc en dernière position. Les éléments qui apportent des précisions supplémentaires se placent à gauche de l'infinitif.

→ *mit dem Auto nach Berlin* **fahren**.
   aller en voiture à Berlin.

→ *dem Opa ein Souvenir* **mitbringen wollen**.
   vouloir rapporter un souvenir au grand-père.

2 La proposition subordonnée

Dans la proposition subordonnée, le verbe conserve la dernière place, comme dans le groupe infinitif. Mais il est conjugué et s'accorde avec le sujet.

Groupe infinitif : → *ein Riesenproblem* **haben**

Proposition subordonnée : → *Anika ruft Benjamin an, weil sie ein Riesenproblem* **hat**.

3 Les noms composés

• Dans les noms composés le nom portant l'information la plus importante est en dernière place. Il est précédé par le ou les éléments qui le déterminent. Il donne son genre au nom composé, mais c'est le premier élément qui porte l'accent de mot.

→ *der Sportlehrer / die Sportlehrerin*

• On accentue *Sport*, car c'est l'élément qui précise de quel professeur il s'agit (*der Sportlehrer* et non pas *der Deutschlehrer*).

⚠ La traduction de ces mots en français n'est pas toujours automatique.

→ *der Klassenlehrer* (le professeur principal)

⚠ À noter dans certains noms composés la présence d'un « s » de jonction.

→ *das Freundschaftsbuch* → *die Geburtstagsparty*

4 Les nombres

De 13 à 99, la dizaine constitue l'élément de base. L'unité vient s'ajouter à gauche de la dizaine.

→ *fünfundzwanzig* (5 + 20)

   vingt-**cinq** (20 + 5)

5 L'heure

L'heure pleine constitue l'élément de base.

→ *Es ist zwei (Uhr)*.
→ *Es ist fünf nach zwei*. (cinq minutes après deux heures)
→ *Es ist Viertel vor zwei*. (un quart d'heure avant deux heures)
→ *Es ist halb zwei*. (la demie de deux heures, donc une heure et demie)

2 L'organisation de la phrase simple

1 La place du verbe conjugué

• Dans la phrase simple, le **verbe** n'est plus en dernière position, comme dans le groupe infinitif ou dans la subordonnée. Il occupe **la première ou la deuxième place**, selon le type d'énoncé.

	Verbe en première place
L'interrogative globale	→ **Treffen** wir uns um sechs Uhr bei mir? (V1)
La phrase à l'impératif	→ **Nimm** doch das T-Shirt für deinen Bruder! (V1)

s'endormir	*ein*schlafen*
sens dessus dessous	durcheinander
sensible	sensibel
sentir (se)	fühlen (sich)
s'entretenir (conversation)	unterhalten*, sich
serveur, euse	Kellner (-) / Kellnerin (-nen) (der/die)
seul, e	allein
seulement (quantitatif)	nur
seulement (temporel)	erst
s'exercer	üben
signifier	bedeuten
s'il te/vous plaît	bitte
silence	Stille (die)
silencieux, euse	still
simple	einfach, unkompliziert
simplement	bloß
sinon	sonst
site web	Website (-s) (die)
snack	Imbiss (-e) (der)
sœur	Schwester (-n) (die)
soif	Durst (der)
soi-même	selber, selbst
soir	Abend (-e) (der)
soirée (fête)	Fest (-e) (das), Party (-s) (die)
soleil	Sonne (die)
solitaire	einsam
sombre	dunkel
sonner	klingeln
sortir	*aus*gehen*
souci	Sorge (-n) (die)
souffrir	leiden*
souhait	Wunsch ("-e)
souhaiter	wünschen
sous	unter (+ acc./dat.)
souvent	oft
spectateur, trice	Zuschauer (-) / Zuschauerin (-nen) (der/die)
spontané, e	spontan
stade	Stadion (-dien) (das)
stage	Praktikum (-ka) (das)
stressant, e	stressig
stupide	blöd
stylo à bille	Kuli (-s) (der)
succès	Erfolg (-e) (der)
sucré, e	süß
Suisse (la)	Schweiz (die)
suite	Folge (-n) (die)
suivant, e	folgend
suivre	folgen (+ dat.)
super	spitze, klasse, toll
supermarché	Supermarkt ("-e) (der)
sur	auf (+ dat./acc.)

sûr, e	sicher
suspendre	hängen*
sympathique	sympathisch

T

table	Tisch (-e) (der)
tableau (peinture)	Gemälde (das)
tard	spät
téléphone portable	Handy (-s) (das)
téléphoner	*an*rufen* (+ acc.), telefonieren
température	Temperatur (-en) (die)
temps (qui passe)	Zeit (-en) (die)
temps (qu'il fait)	Wetter (das)
temps libre	Freizeit (die)
tenir	halten*
tenue (look)	Outfit (-s) (das)
terminé, e (passé)	vorbei
terminé, e (prêt)	fertig
terminer (se)	enden
terre	Erde (die)
terrible	furchtbar
tête	Kopf ("-e) (der)
texte	Text (-e) (der)
théâtre	Theater (-) (das)
ticket (de caisse)	Quittung (-en) (die)
tigre	Tiger (-) (der)
timide	schüchtern
tirer	ziehen*
titre	Titel (-) (der)
tolérant, e	tolerant
tomber	fallen*
tôt	früh
toujours	immer
tour (la)	Turm ("-e) (der)
tourner	biegen*
tout (complètement)	ganz
tout à l'heure	nachher
tout de même	immerhin
tout droit	geradeaus
traduire	übersetzen
train	Zug ("-e) (der)
trajet	Fahrt (-en) (die)
tranche	Scheibe (-n) (die)
travail	Arbeit (-en) (die)
travailler	arbeiten
très	sehr
triste	traurig
trouver	finden*
t-shirt	T-Shirt (-s) (das)
typique	typisch

U

un peu	ein bisschen
une fois	einmal
utiliser	benutzen

V

vacances	Ferien (pl.) (die)
valise	Koffer (-) (der)
varié, e	vielseitig
vedette	Promi (-s) (der)
vélo	Fahrrad ("-er) (das)
vendre	verkaufen
venir	kommen*
vent	Wind (-e) (der)
venteux, euse	windig
ventre	Bauch ("-e) (der)
vérité	Wahrheit (-en) (die)
verre	Glas ("-er) (das)
vers le haut	aufwärts
vert, e	grün
veste	Jacke (-n) (die)
vêtement	Kleid (-er) (das)
vêtements (tenue)	Kleidung (pl.) (die)
viande	Fleisch (das)
vidéothèque	Videothek (-en) (die)
vie	Leben (-) (das)
vieille ville	Altstadt ("-e) (die)
vieux, vieille	alt
village	Dorf ("-er) (das)
ville	Stadt ("-e) (die)
vin	Wein (-e) (der)
vinaigre	Essig (der)
visage	Gesicht (-er) (das)
visite (monument)	Besichtigung (-en) (die)
visite (personne)	Besuch (-e) (der)
visiter (monument, lieu)	besichtigen
vite	schnell
vivre	leben
vivre (un événement)	erleben
vocabulaire	Wortschatz (-) (der)
vœu	Glückwunsch ("-e) (der)
voir	sehen*
voiture	Wagen (-) (der), Auto (-s) (das)
voix	Stimme (-n) (die)
vol (délit)	Raub (der)
voler (dans les airs)	fliegen*
voler (dérober)	rauben
vouloir	wollen*
vouloir (souhaiter)	mögen*
voyage	Reise (-n) (die)
voyager	reisen
vraiment	wirklich, echt
vue	Aussicht (die)

W

week-end	Wochenende (-en) (das)

Crédits photographiques

1ère de couv hg STILLS-ONLINE BILDAGENTUR ; **1ère de couv hd** KLEINENDONK Udo ; **1ère de couv mhd** LOOK-FOTO/H &D Zielske ; **1ère de couv mmd** PHOTONONSTOP/LOOK-FOTO/Peter von Felbert ; **1ère de couv mbd** DIREKTFOTO/Ute Voigt ; **1ère de couv bg** EYEDEA/ IMAGESTATE/Adrian Pope ; **1ère de couv bd** EYEDEA/AGE/Fritz Poelking ; **12** ERLIN-PHOTO/Brigitte Hiss ; **13 g, mm et md** ARCHIVES NATHAN/DIGITAL VISION ; **13 m g** ARCHIVES NATHAN/Photodisc ; **13 d** ARCHIVES NATHAN/IMAGE SOURCE ; **14 g** ARCHIVES NATHAN/Photodisc ; **14 d** GRAFFITI/Joachim E. Roettgers ; **15 -1** PHOTONONSTOP/Aflo Foto ; **15 -2** WESTEND61/Mel Stuart ; **15 -3** Gustavo Alabiso ; **15 -4** OKAPIA KG/Klaus Rose ; **17** REA/LAIF/Dominik BUTZMANN ; **18** PICTURE-ALLIANCE/DPA/Klaus Franke ; **19 g** BLICKWINKEL/INSADCO/ Yuri Arcurs ; **19 d** LANTELME Joerg ; **21 g** PICTURE-ALLIANCE/DPA /Daniel Karmann ; **21 m** AFP/Getty Images/NHLI/ Bill Wippert ; **21 d** AFP/Getty Images for DFB/ Bongarts/Thomas Starke ; **22** PICTURE-ALLIANCE/DPA/Roland Leroi ; **23** ASK IMAGES/VISUM/Sebastien Lasse ; **26 bas d** REA/REPORTERS/Pascal BROZE ; **26 m g** PICTURE-ALLIANCE/DPA/Wolfgang Thieme ; **26 m d** SCHAPOWALOW/Huber ; **26 bas g** LÜDECKE Matthias ; **27 ht g** JUPITER IMAGES/PIXLAND/M. Touraine ; **27 ht d** PICTURE-ALLIANCE/DPA/ Marcel Mettelsiefen ; **27 m g** ALIMDI/Wolfgang Diederich ; **27 bas d** BLOEDT Emanuel ; **28 ht g** JUPITER IMAGES/STOCK IMAGE/JMF ; **28 ht d** ARCHIVES NATHAN/ IMAGE SOURCE ; **28 bas** BERLIN-PHOTO/Brigitte Hiss ; **31** LANTELME Joerg ; **32 ht d** EYEDEA/IMAGESTATE/Robert Llewellyn ; **32 m g** PHOTONONSTOP/LOOK-FOTO/Ingolf Pompe ; **32 bas d** EYEDE/AGE FOTOSTOCK/Jack English. com ; **33** PHOTONONSTOP/MAURITIUS ; **34** ASK IMAGES/VISUM/Sven Picker ; **35 De haut en bas et de gauche à droite** Ampelmannshop.com ; **35** STILLS ONLINE BILDAGENTUR ; **35** SHUTTERSTOCK/Gen Productions ; **35** www. bavariashop.com ; **35** FC Bayern München AG ; **35** OFFICE DE TOURISME DE BERLIN ; **35** WESTEND61 ; **35** STUDIO X/ STOCKFOOD/Bischof ; **35** MOSLER Axel ; **35** DAS FOTOARCHIV/Knut Mueller ; **36** PICTURE-ALLIANCE/DPA/Herbert Spies ; **37** © Zoo de Wuppertal ; **40 hg, hm, mg,mm** LA COLLECTION/IMAGNO ; **40 ht d** OFFICE DE TOURISME DE SALZBOURG ; **40 m d** LA COLLECTION/IMAGNO ; **40 bas** LA COLLECTION/IMAGNO ; **40 bas d** BIS/ph. Jeanbor/ Archives Larbor ; **41 ht g** GETTY IMAGES/Andreas Pollok ; **41 m d** Jaroslaw BUDZYNSKI/The Warsaw Chamber Opera ; **42** © German National Tourist Board ; **43** GETTY IMAGES/BLEND IMAGES/ Dave & Lee Jacobs ; **45** GETTY IMAGES/ TAXI/Ron Levine ; **47** GETTY IMAGES/DIGITAL VISION/Kris Timken ; **48 ht g** PICTURE-ALLIANCE/DPA/Ulrich Perrey ; **48 ht d** GETTY IMAGES/TAXI/Antonio Mo ; **48 bas** © HAMBURG-TOURISMUS ; **49 g** SCHAPOWALOW/Huber ; **49 m** TRANSIT/Thomas Schlegel ; **49 d** PICTURE-ALLIANCE/DPA/Wolfgang Langenstrassen ; **54** PICTURE-ALLIANCE/ OKAPIA/Karl-Heinz Hänel ; **55 ht g** ALIMDI/Matthias Hauser ; **55 ht d** PICTURE-ALLIANCE/DPA/Harry Melchert ; **55 m d** BOXENSTOP MUSEUM TÛBINGEN ; **56** A1PIX DEUTSCHLAND/Duc ; **56 bas** BLUME BILD/Waldkirch ; **57** PICTURE-ALLIANCE/DPA/Jörg Carstensen ; **59** DFD/Volker Hartmann ; **62** JUPITER IMAGES/COMSTOCK IMAGES ; **64 ht d** DFD/Thomas Lohnes ; **64 g** VARIO-PRESS/Rainer Unkel ; **64 bas d** ASK IMAGES/VISUM/Falk Heller ; **68 ht** JOKER/ Peter Albaum ; **68 bas** PICTURE-ALLIANCE/SANDER/Manfred Kötter ; **69 ht** © Marie-Sarah Thisy ; **69 bas** CARO FOTOAGENTUR/Oberheide ; **70 g** JUPITER IMAGES/GOODSHOT ; **70 d** PHOTONONSTOP/JOHNER/Annika Vannerus ; **71** PICTURE-ALLIANCE/DPA/Klaus Franke ; **73** SEMMLER Thomas ; **75** LA COLLECTION/ARTOTHEK ; **77 g** CARO FOTOAGENTUR/Sorge ; **77 m g** SABA LAUDANNA ; **77 m d** ASK IMAGES/VISUM/Martin Leissl ; **77 d** VARIO-PRESS/ Hans-Guenther Oed ; **78 ht** ARTEDIA /ARTHUR/Roland Halbe ; **78 m** PHOTONONSTOP/MAURITIUS ; **78 bas** CARO FOTOAGENTUR/Oberhaeuser ; **82 ht** ALIMDI/Fabian von Poser ; **82 m g** PHOTONONSTOP/MAURITIUS ; **82 m d** PHOTONONSTOP/ANZENBERGER/Fausto Giaccone ; **82 bas** TOURISMUSAMT MÜNCHEN/ Bernd Römmelt ; **83 ht g** PHOTONONSTOP/MAURITIUS/Ypps ; **83 ht d** PHOTONONSTOP/MAURITIUS/Josephine Clasen ; **83 m** DEUTSCHES MUSEUM ; **85 g** CARO FOTOAGENTUR/Sorge ; **85 d** D.R. ; **87** VARIO-PRESS/Heidi Velten ; **89** RMN Dist/BPK Berlin/ Hermann Buresch ; **90** JUPITER IMAGES/ABLESTOCK ; **91** © Edward B. GORDON/www.gordon.de ; **92 g** PICTURE-ALLIANCE/DPA/Rolf Vennenbernd ; **92 d** AFP/GETTY IMAGES/Mark Thompson ; **96 g** DFD/Marcus Brandt ; **96 d** FOCUS 13/2006, 27-03-2006 ; **97 ht** PICTURE-ALLIANCE/DPA/ Istvan Bajzat ; **97 bas** PICTURE-ALLIANCE/DPA/ Uli Deck ; **98 ht g** PLAINPICTURE/R. Schönebaum ; **98 ht d** JUPITER IMAGES/COMSTOCK IMAGES ; **98 m** JUPITER IMAGES/ ABLESTOCK ; **98 bas** DFD/Theo Heilmann ; **101** GETTY IMAGES/STONE/Ultraviolent ; **103 g** HANOTEAU Frederic ; **103 d** STUDIO X/STOCKFOOD/Kirchherr ; **104** ONLINE FOTO/Roland Hottas ; **105 ht d** DFD/Michael Latz ; **105 bas g** JAHNS Rainer ; **105 bas d** AVENUE-IMAGES ; **106 ht** PHOTONONSTOP/BILDAGENTUR ; **106 bas** BIOSPHOTO/STILL PICTURES/Nigel Dickinson ; **107 g** SHUTTERSTOCK/Ovidiu Iordachi ; **107 d** SHUTTERSTOCK/Keith Levit ; **110 ht d** SHUTTERSTOCK/Yuri4u80 ; **110 m g** SHUTTERSTOCK/S. Hanusch ; **110 m d** DFD/Timm Schamberger ; **110 bas g** SHUTTERSTOCK/Sashagala ; **110 bas d** CARO FOTOAGENTUR/Muhs ; **111 ht g** REA/HOLLANDSE HOOGTE/E. Fantoni ; **111 ht d** ASK IMAGES/VISUM/Frank Rothe ; **111 m** PICTURE-ALLIANCE/DPA/Peter Endig ; **111 bas** SHUTTERSTOCK/ Charlie Hutton ; **116** BURMANN Andreas ; **117 ht d** PHOTONONSTOP/MAURITIUS/André Pöhlmann ; **117 m g** PHOTONONSTOP/MAURITIUS/Bernd Römmelt ; **117 m d** STEINKÜHLER Petra ; **118** PICTURE-ALLIANCE/DPA/Boris Roessler ; **119 ht d** ARGUM/Thomas Einberger ; **119 m g** PICTURE-ALLIANCE/DPA/Patrick Seeger ; **119 bas d** APIX/ HAG ; **120 m g** PHOTONONSTOP/SIME/Susy Mezzanote ; **120 bas g** A1PIX/AAA ; **120 bas d** Cécile Bordeau/D.R. ; **121 ht** PICTURE-ALLIANCE/DPA/Martin Schutt ; **121 m** d PHOTONONSTOP/TIPS/Peter & Georgina Bowater ; **121 bas g** PICTURE-ALLIANCE/CHROMORANGE/Alexander Bernhard ; **121 bas m** PICTURE-ALLIANCE/DPA/Wolfgang Kumm ; **121 bas d** AFP/GETTY IMAGES/Johannes Simon

Nº projet: 10256261 - Dépôt légal: août 2017 - Imprimé en Espagne par Gráficas Estella en juin 2019

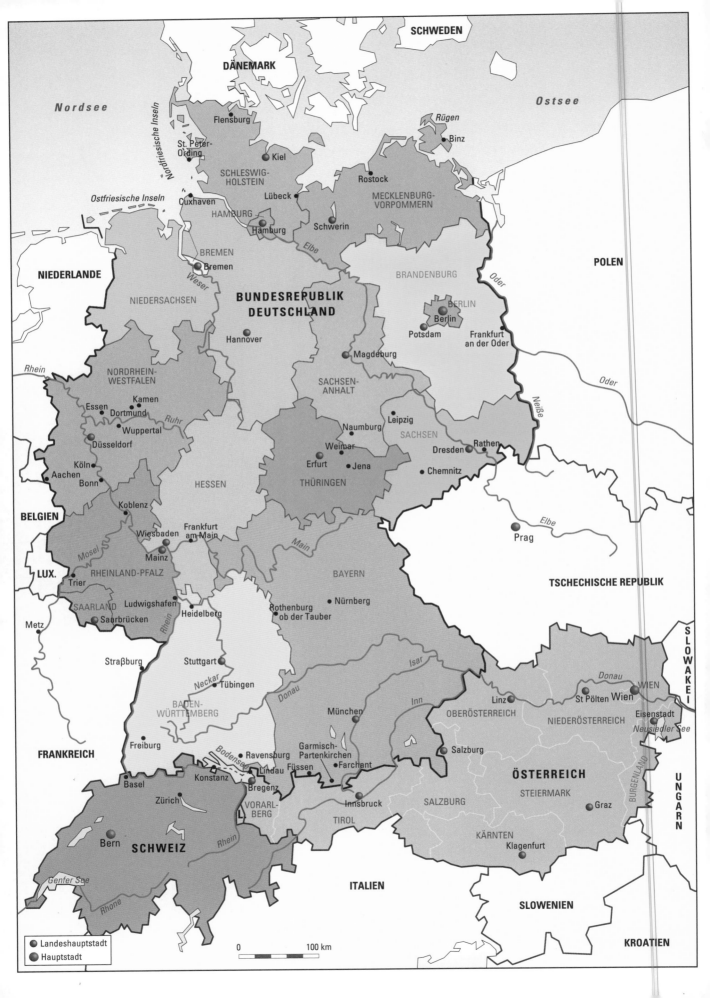